10 minutes de petits bonheurs

Françoise Réveillet • Illustrations Frédérique Thyss

À mes filles,
Pour les petits et les grands bonheurs qu'elles me donnent.

Et à tous ceux qui choisissent de bien vivre leur vie,
Malgré tout !

Conception graphique et mise en pages : **Alice Leroy**
Illustrations : Frédérique Thyss
© Flammarion, Paris, 2007
Tous droits réservés
ISBN : 978-2-0820-1543-1
N° d'édition : L.01EPMNFT1543. A003
Dépôt légal : avril 2007
www.editions.flammarion.com

10 minutes

de petits
bonheurs

Françoise Réveillet • Illustrations Frédérique Thyss

Flammarion

Sommaire

Préface

La quête du bonheur est, pour la plupart d'entre nous, une notion abstraite, lointaine, éphémère, inaccessible, irréaliste, ardue… et personnelle. On en parle avec pudeur et avec une certaine distance, comme si l'on n'y croyait pas. Et pourtant, le bonheur a constamment occupé la pensée de l'homme depuis l'Antiquité jusqu'à nos jours.

L'histoire du bonheur en Occident

À partir du Ve siècle avant Jésus-Christ, les philosophes grecs ont considéré la recherche de la vérité et de la sagesse comme un moyen pour atteindre le bonheur. L'homme n'est pas maître de son destin mais de lui-même. Le bonheur consiste à vivre en séparant bien ce qui dépend de soi de ce qui n'en dépend pas.

Au Moyen Âge, le bonheur est représenté comme le salut. Le christianisme considérait en effet que le bonheur se trouve dans ce paradis dont nous avons déchu et dans l'au-delà de la vie. Le but de l'homme était de vivre au mieux sa vie pour mériter ce salut qu'il retrouvera dans l'au-delà. Et tout son bonheur consistait à tendre vers ce salut futur et éternel, la vie n'étant qu'un passage pour y arriver.

Avec le XVIe siècle apparaît ce que les sociologues nomment le désenchantement du monde : Dieu se replie dans l'invisible et l'homme se retrouve tout seul sur la terre. Le sentiment de mélancolie se mêle au bonheur. L'homme va s'engager dans une recherche individuelle et essayer de vivre son bonheur dans l'instant.

Au XXe siècle, la culture de l'instant va se transformer en culture de la jouissance immédiate.

Le bonheur prend une dimension marchande, la publicité agissant comme levier d'accélération de ce « bonheur à acheter ».

Bonheur ou bonheurs ?

Les conceptions du bonheur varient, se complètent, s'opposent, formant une palette de couleurs aux nuances multiples, allant du pâle au foncé, du blanc au noir, du terne au brillant... Chacun choisit sa teinte en fonction des périodes de sa vie, de son vécu, de ses croyances, de ses aspirations, de son état psychologique ou de sa situation.

Il y a ceux pour qui le bonheur est un voyage vers une destination pleine de promesses, l'expression du romanesque, de l'imprévisible...
Il y a ceux qui considèrent que le bonheur se vit dans la durée par une quête de soi exigeante et sans relâche...
Il y a ceux qui aspirent aux plaisirs immédiats, à la jouissance, ceux qui se font du bonheur un devoir perpétuel, ceux qui l'érigent en vertu...
Il y a ceux pour qui le bonheur est ici et maintenant, ceux pour qui c'était hier, ceux qui s'en font un but...
Il y a ceux qui ne s'intéressent pas au bonheur, ceux qui le fuient ou ceux qui s'en méfient...
Il y a ceux aussi pour qui le bonheur est un rêve, une utopie...

Alors, pourquoi écrire un livre sur les « petits » bonheurs ?

« Pour connaître le bonheur, il convient donc de renoncer à toute grande espérance et de désirer ce qui est, ce qui dépend de nous et est à notre portée.
Il nous faut apprendre à savourer l'intime et l'infime. »
MICHEL FAUCHEUX, *HISTOIRE DU BONHEUR*

Nous le savons bien, espérer un trop grand bonheur nous éloigne du bonheur. Pour ma part, je préfère les petits bonheurs au grand Bonheur, rarement au rendez-vous... « Petits » n'exprime nullement leur manque d'importance ou d'intensité, pas plus que leur aspect secondaire, mais signifie bien plus qu'ils sont palpables, concrets, accessibles, à notre portée. On peut les provoquer quand bon nous semble et les développer dans notre vie de tous les jours.

Je les distingue d'ailleurs des petits plaisirs, par essence éphémères, évanescents, superficiels qui, s'ils contribuent à notre qualité de vie et à notre bien-être ne nous apportent cependant pas ce supplément d'intensité et de joie que l'on éprouve dans une très grande présence à soi, dans ce progrès ou dans cette transformation que l'on ressent en s'exerçant aux petits bonheurs.

En cette période où l'on a souvent l'impression de vivre sur des sables mouvants et où l'on court de plus en plus vite pour en réchapper sans parfois savoir où l'on va et sans certitude, nous pouvons affirmer « le bonheur est possible malgré tout ! » – dans une affirmation plus volontariste qu'optimiste. On aurait bien tort, sous prétexte d'attendre le bonheur, de se priver de ces enchantements quotidiens qui n'ont rien à voir avec cette joie de vivre que l'on doit afficher aujourd'hui pour affirmer que « tout va bien ». Car ces petites joies le plus souvent insignifiantes et invisibles pour les autres… sont ô combien intenses pour ceux qui les pratiquent !

Fruit du hasard ou effort récompensé ?

Ces petits bonheurs s'infiltrent dans ces mille détails à côté desquels nous passons sans même les apercevoir et qui donnent du sens à notre vie. Saisir la grâce d'un moment en contemplant un paysage, un rayon de soleil, une œuvre d'art, un sourire, un visage, une voix rend heureux. Si l'on se met à écouter et à regarder autour de soi, on aura des milliers de petits instantanés heureux…

> « Le plus grand secret pour le bonheur, c'est être bien avec soi. »
> BERNARD DE FONTENELLE, DU BONHEUR

Fruits d'un réel effort ou d'une victoire sur soi-même quand on réussit à surmonter un désagrément, une appréhension, une vieille habitude, les petits bonheurs sont aussi le résultat d'un entraînement quotidien de nos sens, de notre cœur, de notre corps, de nos émotions et de notre mental. Ils nécessitent un apprentissage lent, difficile, régulier mais toujours récompensé. Ils donnent du relief à nos journées, émaillant les tracas, désagréments et autres déceptions incontournables de petites lueurs scintillantes… Alphonse Karr, écrivain (1808-1890), d'ailleurs les décrivait ainsi : *« Peut-être le bonheur n'est-il qu'un contraste, mais il y a une foule de petits bonheurs qui suffisent pour parfumer la vie. »* Ils s'expriment aussi dans les multiples attentions quotidiennes que nous portons aux autres et à notre environnement. Dans ce livre, je vais vous parler de ces bonheurs-là qui alimentent cet état de bonheur qui nourrit à son tour les petits bonheurs dans un processus de cercle vertueux qui se renforce au fil des jours, et ce, malgré les difficultés, les souffrances, la maladie ou la mort qui jalonnent notre existence.

Ni optimisme à tout crin ni pessimisme

« Le véritable optimisme est fait de réalisme et de bonne volonté,
alors que le pessimisme rationalise l'impuissance et l'abandon. »
Entendu sur France Inter en 1999.

Les petits bonheurs ne s'inscrivent pas dans la recherche d'un bonheur à tout prix. Ils s'enracinent avant tout dans un état d'esprit enclin à voir les choses du bon côté. Mais pas avec ce regard trop candide qui déforme la réalité et affirme que « tout est beau et que tout va bien, dans le meilleur des mondes ». Dans un monde qui n'est ni un paradis ni un enfer, nous pouvons agir pour trouver la confiance en nous et développer en nous ce qui peut rendre heureux. Un état d'esprit qui peut nous mettre sur le chemin du bonheur !

Le bonheur, la somme des petits bonheurs...

Ce mot *bonheur* date du XIIe siècle et vient de *bon* et de *heur*. Étymologiquement, il signifie la *bonne chance*, le *bon augure*. Il m'évoque également la *bonne heure*, le *bon moment*. De là à comparer le bonheur à la pendule et les petites aiguilles aux petits bonheurs, il n'y a qu'un pas... La petite aiguille des secondes permet à l'aiguille des minutes d'avancer, qui entraîne à son tour l'aiguille des heures. C'est parce que chacune fait un tour complet et effectue à la perfection son travail que la pendule fonctionne bien. Si un petit grain de sable gêne le passage de la petite aiguille, tout le système va en pâtir : la pendule va prendre du retard, s'emballer ou s'arrêter. Ces petites aiguilles jouent donc un rôle capital dans le fonctionnement de la pendule. De même, les petits bonheurs collectés au fil des jours nous aideront à vivre des journées et une existence de plus en plus heureuses.

Les petits bonheurs nous préparent aux grands bonheurs !

J'ajouterai même que les petits bonheurs préparent et donnent de la valeur à ces grands bonheurs qui nous viennent du ciel, comme la rencontre de l'être aimé, la naissance d'un enfant et bien d'autres événements extraordinaires... Si ce grand bonheur n'a pas été précédé de ces petits bonheurs, il est à craindre que nous ne sachions l'apprécier à son juste prix. On raconte souvent que la plupart des gens qui gagnent le gros lot se retrouvent au bout de deux ans dans leur situation de départ. N'ayant pas gagné cet argent, ils n'en connaissent pas la valeur ; c'est pourquoi ils le dilapident en si peu de temps, ce que n'aurait pas fait quelqu'un voulant faire fructifier quotidiennement ses gains.

Avant-propos

« Un voyage de mille lieues commence par un seul pas. »

Lao-tseu, philosophe chinois (VIe-Ve siècle av. J.-C.), fondateur du taoïsme

Pourquoi 10 minutes ?

10 minutes de petits bonheurs, certains diront : « C'est peu ! » Mais à l'heure où toutes les choses se quantifient, cette temporalité signifie que l'on peut « pratiquer » le bonheur chaque jour à la condition de le vouloir. Quels que soient notre statut ou notre emploi du temps – parent avec enfants en bas âge, cadre débordé, mère célibataire, ménagère active, étudiant travailleur, retraité aux multiples hobbies… –, un regard différent, une pensée, une attitude suffiront à donner du relief à nos journées.

10 minutes, c'est aussi le temps que vous pourriez consacrer chaque jour à la lecture de mon ouvrage ! L'énumération que je propose n'a pas la prétention d'être exhaustive. J'ai seulement souhaité, à partir de mes lectures et de mon expérience personnelle, vous transmettre une impulsion plus qu'une méthode à suivre, afin de réussir ce formidable chef-d'œuvre qu'est votre vie.

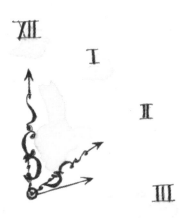

À lire par le début, la fin, les trois quarts ou le milieu... selon votre bon vouloir !

J'ai écrit ce livre comme on écrit un journal. Ces petits bonheurs, je les ai approfondis et expérimentés jour après jour. Ils suivent le mouvement de mes journées, de mes humeurs, de mon inspiration, de mes lectures, de mes rencontres et des circonstances que j'ai traversées pendant la période consacrée à cet ouvrage. Ils m'ont progressivement transformée et m'ont surtout appris à honorer chaque journée.

Il ne vous reste qu'à picorer ces petits bonheurs au gré de vos envies et de vos possibilités, sans vous soucier de l'ordre établi par le sommaire. En réalité, il n'y a pas d'ordre à suivre puisque je les ai écrits sans me préoccuper de leur chronologie. Dans un moment de doute ou de cafard, allez puiser dans ce livre au hasard afin de trouver de l'inspiration et de mieux surmonter cette difficulté passagère !

Dégustez-les donc avec joie et lenteur, car vouloir trop de petits bonheurs tout de suite nuit ! Je vous invite à prendre votre temps, à essayer, à chercher ce qui vous convient, à vous entraîner chaque jour, comme on s'exerce à la gymnastique. Cela demande un effort, mais l'effet est toujours satisfaisant. Certains petits bonheurs deviendront des automatismes, laissant la place à de nouveaux qui produiront à leur tour d'autres petits enchantements.

En guise d'introduction

La petite légende des dieux grecs

Au commencement, les dieux et les hommes vivaient ensemble au paradis. Leur cohabitation devint difficile à cause des hommes qui se montraient constamment insatisfaits et belliqueux, au point que les dieux, tout d'abord irrités par leurs disputes, finirent par ne plus pouvoir les supporter. Ils décidèrent alors de les envoyer sur terre et de leur cacher le secret du bonheur. Puisqu'ils n'avaient pas su apprécier ce bonheur que les dieux leur offraient sans condition, les hommes devraient désormais le chercher. Zeus et les dieux se réunirent et cherchèrent ensemble un lieu où cacher le secret du bonheur. L'un d'eux suggéra tout d'abord de le camoufler au sommet d'une montagne. Zeus s'y opposa, car cette cachette lui semblait trop facile à trouver. Un autre suggéra de le dissimuler au fond de la mer. Zeus réfuta cette deuxième proposition, la trouvant également trop simple. Un troisième proposa de cacher le bonheur dans l'espace. Zeus refusa encore pour la même raison. Puis Zeus eut une idée et la leur dévoila : « Le dernier endroit où les hommes iront chercher le secret du bonheur, c'est au fond d'eux-mêmes. Eh bien, nous allons le cacher là ! »

Nous le savons, nous sommes l'artisan de notre propre bonheur... de nos petits bonheurs. Ils ne sont ni magiques, ni à l'extérieur de nous. Ils ne demandent qu'à s'exprimer. Encore faut-il pour cela en avoir conscience, le vouloir et repérer les multiples cachettes où ces petits bonheurs fleurissent...

JUBILER
AU FIL DU JOUR

*Dès lors que l'homme a un rapport tranquille
et serein avec lui-même, il est plus heureux.
On obtient cette sérénité en étant d'abord présent
à soi-même dans tout ce que l'on vit.*

Le matin

« Il m'a depuis longtemps paru que la joie était plus rare, plus difficile et plus belle que la tristesse. Et quand j'eus fait cette découverte, la plus importante sans doute qui se puisse faire durant cette vie, la joie devint pour moi non seulement (ce qu'elle était) un besoin naturel – mais bien encore une obligation morale. »
ANDRÉ GIDE, ÉCRIVAIN FRANÇAIS (1869-1951) LES NOUVELLES NOURRITURES

Que chaque jour soit neuf

Arthur Schopenhauer, philosophe allemand (1788-1860) compare le début de la journée à « la jeunesse du jour ». C'est rendre hommage à la vie que de considérer chaque réveil comme une nouvelle naissance et chaque journée comme une petite vie séparée. Les premières minutes ont donc une importance capitale car elles donnent le « la » à ce jour nouveau. Osons l'aborder avec candeur et fraîcheur sans l'accabler au réveil de nos présomptions.

Sacraliser le temps

De même que les Anciens sacralisaient les ancêtres et les morts, attribuer un caractère « sacré » au temps donne du sens à notre existence. Réaliser que chaque journée est unique et différente permet de vivre heureux et en adulte. Car si l'on admet que chaque moment vécu est exclusif et qu'il ne sera jamais vécu une deuxième fois, on aura envie d'apprécier chaque minute, en évitant tout gaspillage ! Notre plus grande source de bonheur passe par cette présence à soi que l'on développe dans chaque événement, le plus subtil et le plus infime soit-il : humer l'arôme d'un fruit, recevoir la confidence d'un ami ou le baiser d'un enfant, sentir une douce brise sur la nuque, travailler avec concentration, faire une respiration profonde, donner une caresse ou encore croquer une pomme...

On peut être aussi heureux aujourd'hui qu'autrefois !

« Il n'est pas plus difficile d'être heureux aujourd'hui qu'il ne l'était sous Henri II, Jules César ou Virgile. » JEAN GIONO, ÉCRIVAIN FRANÇAIS (1895-1970), LA CHASSE AU BONHEUR

L'avènement de l'ère de la consommation marque pour beaucoup d'entre nous la fin d'une époque où les gens étaient heureux. Certes, la mondialisation influence notre quotidien dans tous ses aspects, aussi bien sociaux, profession-nels, économiques, politiques, financiers, humains, écologiques que familiaux... Désormais, tout va plus vite. Il faut s'adapter de plus en plus rapidement aux chan-gements qui affectent notre vie de tous les jours et gérer le stress et l'insécurité qui vont avec.

Mais la vie moderne n'a en rien réduit notre aptitude et notre potentiel de bonheur, car « le bonheur est dans le pré(sent) ». Il importe de se rappeler que le bonheur n'est lié ni au passé, ni au futur et encore moins à des conditions exceptionnelles de vie. Il est présent dans les choses simples de la vie. Il réclame juste un peu d'at-tention. Le bonheur est partout. Un regard, la pluie, la solitude, la compagnie d'un ami, la beauté d'une architecture d'avant-garde ou d'un coucher de soleil, un baiser, la dégustation d'un bon vin, une sieste au bord de l'eau, une conversation télé-phonique, un réveil en douceur, le câlin d'un enfant, la pratique d'un sport ou d'une activité créative... sont de magnifiques présents si l'on sait les apprécier.

Prendre soin de soi, auguste devoir

« Il faut faire du bien à notre corps pour que notre âme s'y sente bien. »
Winston Churchill, homme politique britannique (1874-1965)

Sous Louis XIV, assister au réveil du roi était un privilège. Cette célébration quoti-dienne confirmait la dimension sacrée et symbolique du réveil, comme si cette sor-tie des « ténèbres » était chaque matin une renaissance.

Être en forme, c'est se donner journellement les moyens d'être heureux de vivre, d'être libre de ses mouvements, d'être bien dans sa tête. On veille à purifier régulièrement son organisme en prenant soin de vivre au rythme des saisons, comme le faisaient nos aïeux. Il faut donc être attentif à son équilibre et à son propre rythme.

Sortir de la nuit en souplesse

Lorsque le réveil sonne, ne vous précipitez pas d'un bond hors du lit, mais accordez-vous quelques secondes pour bâiller en ouvrant grand votre bouche et en laissant s'échapper les sons qui vous viennent... Cela vous détendra et fera également travailler les muscles de votre visage. Étirez-vous comme un chat en allongeant au maximum vos bras et vos jambes, en tirant sur vos pieds, vos orteils, vos mains, vos doigts, en vous tournant sur les côtés. Essayez toutes les positions qui vous permettent de vous étirer avec amplitude. Cela vous aidera à sortir agréablement de votre nuit, tout en augmentant la mobilité de vos muscles et de vos articulations. Ensuite, tournez-vous délicatement sur le côté et levez-vous en vous aidant de votre main, de façon à préserver votre dos.

Sachez que ces premiers gestes ne vous auront pris qu'une ou deux minutes... qu'ils sont fort agréables à pratiquer et qu'ils vous aideront à trouver le tonus nécessaire pour bien commencer votre journée. Pensez également à vous étirer tout au long de la journée, en cas de stress ou de mauvaise position, ou le soir pour débarrasser votre corps des tensions accumulées dans la journée.

La santé est notre premier trésor

Sans la santé, rien n'a de saveur. Un mal de dent, un mal de tête ou un petit bobo peuvent gâcher une matinée, une journée voire même les moments les plus délicieux de notre existence... Elle vaut mille fois plus que les biens extérieurs. Une bonne santé est un élément essentiel pour mieux vivre chaque journée. L'on dispose ainsi de tous les atouts pour calmer son psychisme, organiser sa vie de la meilleure façon, disposer d'un esprit clair et mobiliser son action avec justesse. Le résultat sera que l'on acquiert ainsi une bonne conscience de soi et du monde qui nous entoure. Et cela vaut toutes les richesses du monde ! Aussi est-il important d'adopter, dès le réveil, les bons gestes et les bonnes attentions pour soi afin de trouver un réel bien-être.

Respirer profondément comme on arrose une plante qui dépérit

Non seulement la qualité de l'air est suspecte, mais on respire très mal aujourd'hui. Une mauvaise hygiène de vie, l'ignorance de nos capacités respiratoires, le stress généré par la colère, la tristesse, l'anxiété ou la pression sociale... amènent la plupart d'entre nous à respirer de manière saccadée, étriquée et superficielle.

Sans oxygène, pas de vie. On le sait, l'oxygène nourrit le sang dont dépendent nos cellules. Si notre sang est pauvre en oxygène, la qualité, la vitalité et la régénération de nos cellules sont diminuées. Notre devoir premier est de leur assurer cet approvisionnement en oxygène grâce à une respiration correcte, c'est-à-dire lente, silencieuse, profonde, et surtout sans tension dans les muscles intercostaux afin de garantir une bonne dilatation du tissu pulmonaire.

La fonction respiratoire permet l'apport d'oxygène mais aussi le rejet de gaz carbonique. En effet, nos cellules n'ont aucun autre moyen de se débarrasser des déchets qu'elles produisent que celui de les déverser dans le sang. Notre sang sera donc purifié par une bonne ventilation des poumons qui entraîne l'élimination de toute trace de toxines.

La respiration profonde consciente est le moyen le plus important dont nous disposons pour augmenter notre immunité naturelle. Elle produit les meilleurs effets sur notre santé : elle améliore le fonctionnement du cœur, du cerveau et de nos muscles, et effectue un véritable massage des organes digestifs grâce au mouvement de piston du diaphragme, facilitant ainsi l'assimilation des aliments. La respiration agit favorablement sur les émotions et favorise la détente.

Vitale pour le tonus, la respiration complète

Si je devais faire le choix d'une technique ou d'une solution parmi toutes celles dont on dispose aujourd'hui, je choisirais sans aucune hésitation la respiration complète. Car on peut la pratiquer à sa guise dès qu'on en ressent le besoin. Elle est simple, naturelle et source d'innombrables vertus pour la santé. Les yogis affirment que si respirer c'est vivre, respirer lentement et profondément, c'est vivre longtemps et en bonne santé !

La respiration complète englobe trois respirations partielles que sont :
• la respiration abdominale ;
• la respiration thoracique ;
• et la respiration sous-claviculaire.
Il importe tout d'abord de s'exercer à les réaliser de façon dissociée (voir ci-après). Puis quand l'on sent que l'on a bien intégré ces trois niveaux de respiration, on

peut les exécuter à la suite avec souplesse et en flux continu, en un seul mouvement ample et lié. Il est important de respirer silencieusement, de préférence par le nez, et de bien se concentrer sur l'acte respiratoire.

Cette respiration peut s'exercer à tout moment et n'importe où. Vous pouvez pratiquer la respiration complète le matin au réveil, dans la journée au travail, à la maison ou ailleurs, le soir en rentrant à la maison et lorsque vous êtes dans votre lit, afin de vous endormir plus facilement.

⋯⋗ S'exercer à la respiration abdominale

Installez-vous dans un premier temps couché sur le dos afin de mieux ressentir les mouvements de la cage thoracique et de relâcher la musculature abdominale. Les bras le long du corps – en veillant à ce que le haut des bras ne touche pas les aisselles –, les jambes légèrement écartées, les épaules basses, le menton aligné au sternum et la bouche fermée, inspirez par le nez silencieusement, sans à-coups, sur trois ou quatre temps. Vous pouvez poser vos mains sur votre abdomen afin de bien ressentir ce mouvement d'élévation et d'abaissement du nombril. Puis expirez par le nez tranquillement sur trois ou quatre temps, sans tension dans la cage thoracique et l'abdomen. Soyez conscient du bâillement des côtes et profitez pleinement du double effet à la fois relaxant et stimulant de la respiration profonde. N'hésitez pas à pratiquer cette respiration plusieurs fois dans la journée. Vous verrez, c'est très bon pour le physique et pour le moral !

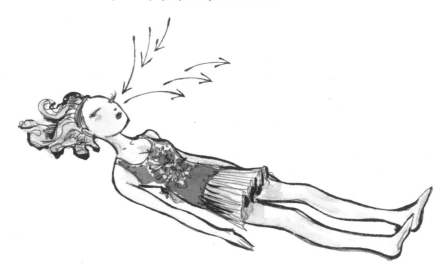

⋯⊹ Apprendre la respiration complète

Dans la même position, vous commencez par effectuer une respiration abdominale comme ci-avant. Quand vous sentez que vous ne pouvez plus faire entrer d'air dans votre ventre, continuez à faire entrer de l'air dans vos poumons en laissant s'écarter les côtes.

Quand vos côtes sont ouvertes au maximum, soulevez vos clavicules pour faire entrer encore un peu d'air. Essayez de faire entrer l'air en remontant les clavicules vers le haut, en direction du menton, sans soulever les épaules.

Il est conseillé de rester détendu pour effectuer cette respiration complète, celle-ci devant demeurer fluide et confortable. Les muscles des mains, du visage et du cou ne doivent pas être contractés pendant la phase d'inspiration claviculaire. Il est important de bien décomposer ces trois mouvements tout en les enchaînant harmonieusement, sans saccades et sans interruption. Puis expirez lentement par le nez en commençant par la zone sous-claviculaire, puis thoracique et enfin abdominale.

Éliminer les toxines au réveil est source de santé et de joie pour la journée

Pas de santé ni de longévité sans une bonne élimination. Car, si les toxines séjournent trop longtemps dans le corps, elles peuvent provoquer de nombreux désordres de santé. C'est pourquoi il est important de les éliminer chaque jour. Au lever, habituer ainsi son corps à uriner et à aller à la selle est un premier réflexe nécessaire et indispensable pour être en forme. On se sent alors purifié de ses déchets, comme allégé et empli d'une vitalité nouvelle.

L'intestin se charge de l'assimilation de l'eau et des nutriments et est ainsi lié à tous les autres organes. Le moindre dysfonctionnement se répercute sur tout le reste jusqu'à notre psychologie. Il mérite donc tout notre respect et nécessite une attention toute particulière.

La règle élémentaire consiste à prendre son temps en s'obligeant à s'installer quelques minutes aux toilettes après le petit déjeuner, de préférence à la même heure, même si l'envie n'est pas au rendez-vous... Avec une pratique régulière, l'organisme s'adaptera à cette habitude et à cet horaire. Prenez un bon livre ou un magazine et détendez-vous. L'ayurvéda, médecine globale et philosophie millénaire originaire de l'Inde, conseille de bien détendre le mental, le ventre et le bas-ventre.

Pour ceux dont les intestins manifestent une certaine paresse, deux astuces faciliteront l'élimination. La première consiste à se masser le ventre dans le sens des aiguilles d'une montre, en commençant en bas à droite, et à suivre ainsi le trajet de l'intestin. La deuxième astuce, lue dans une revue intitulée *Plantes & Santé*, est particulièrement efficace. Une fois assis sur le siège des toilettes, mettez vos genoux plus hauts que les fesses afin d'éviter un blocage d'évacuation provoqué par la position classique. Glissez par exemple un petit tabouret sous les pieds afin de surélever les jambes par rapport au bassin. Et, vous le constaterez, cela change tout !

⋯⋗ Un verre d'eau à jeun pour compléter ce grand nettoyage du corps

Un organisme encrassé est source de fatigue ! Aussi, pour bien démarrer votre journée, n'oubliez pas de boire un grand verre d'eau à jeun. Il nettoie votre organisme et fait circuler une énergie nouvelle. Essayez de boire lentement en suivant mentalement le trajet de l'eau qui circule dans le corps, de la gorge à l'estomac. Cela vous fera encore plus vivement ressentir les effets bénéfiques de ce grand nettoyage matinal !

⋯⋗ Ouvrir grand les fenêtres

Au lever, aérer sa chambre et le salon permet de renouveler l'air de la maison. C'est ce que je fais chaque matin en me dirigeant vers la cuisine. Mon chat se précipite alors sur le balcon, ravi de pouvoir renifler les premières odeurs du jour et de se cacher sous un pot de fleurs, à l'affût d'une proie éventuelle. J'en profite pour respirer un bon coup et parfois même pour exécuter une Salutation au soleil (voir page 35).

⋯⋗ Le chaud-froid ultra vivifiant !

Faire sa toilette est un agréable moment d'intimité et de détente qu'il importe d'accompagner de gestes conscients et bénéfiques. L'eau vivifie notre organisme et participe à sa régénération. Ainsi, la douche du matin et en particulier la « douche écossaise » stimule notre énergie et protège notre organisme des infections éventuelles. Et si l'on est attentif à chaque geste, le plaisir s'amplifie.

On débute par une douche chaude suivie d'un jet d'eau froide ou glacée (pour les plus téméraires !) en remontant des pieds jusqu'à la tête. Pour ma part, j'aime asperger mon corps d'une façon progressive. Je commence par les jambes, les bras, la poitrine et le ventre en faisant des cercles dans un sens puis dans un autre, je continue en douchant les fesses, les reins, le visage et je termine par un jet complet sur tout le corps… L'organisme s'habitue progressivement à ce jet froid, supportable dans un premier temps et extrêmement plaisant au bout de quelques secondes. Après la douche glacée, je m'emmitoufle dans une serviette bien chaude. Je sens que tout circule bien dans mon corps et j'éprouve une sensation intense de plaisir, de détente et de tonus tant physique que psychologique. J'éprouve de la joie d'avoir surmonté mon appréhension toujours présente avant chaque douche et de sentir une nouvelle force en moi capable d'affronter d'autres défis dans la journée ! Cette douche n'est que la première étape d'une toilette plus complète.

⋯⋅> Une toilette complète pour être au meilleur de sa forme

La langue, à la façon des Indiens, doit aussi être débarrassée de ses toxines. On utilise pour cela une petite cuillère ou une brosse à dents pour enlever délicatement la pellicule blanche recouvrant la langue au réveil. On poursuit avec le nettoyage du nez. Chaque narine est lavée avec un peu d'eau fraîche ou tiède que l'on fait couler d'une narine à l'autre, en inspirant l'eau avec une narine et en la rejetant avec l'autre. Puis on continue par le nettoyage du visage et des yeux avec de l'eau fraîche. Après ce nettoyage complet, on se sent propre, de cette propreté qui fait du bien, et prêt à vivre sa journée avec entrain.

Après le petit déjeuner, un brossage des dents méticuleux et doux, de préférence avec des produits naturels, comme de la poudre d'argile, un peu de sel marin une à deux fois par semaine pour les blanchir – suivi de quelques gargarismes à l'eau douce ou salée –, termine agréablement ces premières ablutions.

Le corps exulte grâce au sport... et à l'eau glacée

De tout temps, le sport a fait des émules. La marche à pied est d'ailleurs celui qui emporte tous les suffrages. Que l'on soit étudiant, professeur, enfant, à la retraite, que l'on vive à Shanghai ou en Corrèze, prendre soin de son corps en entretenant ses muscles et en lui apportant souplesse, endurance et galbe est indispensable. On le sait, les exercices favorisent la forme physique grâce à l'augmentation du débit sanguin, à un meilleur fonctionnement de la pompe cardiaque, à une meilleure oxygénation des cellules et à l'élimination des déchets... Ils aident également à entretenir la forme morale en luttant efficacement contre la fatigue nerveuse, en limitant les effets du stress et en favorisant une meilleure acceptation de soi et de son corps. On ne dira jamais assez combien le sport est important pour se sentir bien dans son corps... et dans sa tête. Dans les années 1950, certaines stars revendiquaient haut et fort les bienfaits d'une pratique régulière d'un sport ou en tout cas d'une hygiène de vie.

Ainsi, Joan Crawford (1904-1977), actrice américaine connue pour sa beauté, faisait une heure de culture physique chaque matin, allait trois fois par semaine au stade et nageait tous les jours. Certes, elle consacrait du temps à s'occuper d'elle, mais quels résultats !

Katharine Hepburn, reine d'Hollywood dans les années 1950, actrice élégante, racée et spirituelle, était aussi une bonne sportive. La presse de l'époque rapporte qu'elle effectuait un parcours de golf chaque jour. Elle ne prenait jamais sa voiture pour les courses de proximité, faisant facilement 20 kilomètres à pied par jour ! Et elle passait ses week-ends dans sa propriété de Fenwick où elle plongeait quotidiennement dans les eaux glacées du lac, ce en quoi elle était bien inspirée car les vertus de l'eau glacée sont si nombreuses qu'il serait difficile d'en dresser une liste exhaustive. C'est une véritable cure de jouvence qui stimule l'organisme le matin et l'apaise le soir.

Se masser pour développer la sensibilité qu'on a de son propre corps

Le massage fait recette depuis des millénaires en matière de détente et de tonification. Grâce au massage, on se maintient en bonne santé. Mais on apprend également à aimer et à écouter son corps, à lui faire du bien, à ressentir des sensations, à connaître de mieux en mieux ce qui le soulage, le détend ou lui donne de l'énergie. Le massage joue donc dans notre vie quotidienne un rôle très important. S'il est particulièrement agréable de recevoir un massage, il ne nous est pas toujours possible d'être massé quotidiennement par quelqu'un. Sachez que l'automassage a des effets tout aussi bienfaisants. Avant ou après la douche, un massage complet du corps avec amour et concentration améliore nos petits bobos quotidiens comme les douleurs de dos, les problèmes de jambes lourdes, les articulations sensibles... Vous voilà donc prêt à commencer cette journée du bon pied !

Chaque matin, faire un peu de stretching et se sentir bien

····⫶ La plupart des gestes effectués au cours d'une journée correspondent à des habitudes que nous répétons chaque jour sans y penser. Certaines deviennent de mauvaises habitudes qui à la longue génèrent des tensions musculaires et affaiblissent le tonus. La gymnastique douce est idéale pour développer la conscience de son corps et de ce fait mieux lutter contre le stress. Le stretching invite à écouter son corps de l'intérieur et favorise l'élasticité des muscles, donnant à ceux qui le pratiquent régulièrement une allure gracieuse. Cela allonge les muscles en état de contraction et les prépare à l'effort.

····⫶ Ces deux exercices accompagnés d'une respiration douce et profonde vous aideront à aborder agréablement votre journée.

1ᴱᴿ **EXERCICE** : il favorise l'accélération du métabolisme, l'élimination des excès de toxines et la décontraction de la colonne vertébrale.

Position de départ

Debout, la tête dans l'axe de la colonne vertébrale, épaules basses, joignez vos pieds et laissez pendre vos bras le long du corps. Serrez les muscles fessiers et ceux de la partie avant de la cuisse. Contractez les genoux et remontez les rotules. Rentrez le ventre, étirez l'ensemble de la colonne vertébrale mais surtout la zone cervicale. Votre poids doit être équitablement réparti sur les deux pieds. Veillez à avoir une assise bien stable en verrouillage lombaire, c'est-à-dire en effectuant la bascule arrière du bassin. Inspirez et expirez tranquillement.

1er mouvement

Inspirez en levant les bras, les paumes tournées vers le ciel. Vos fessiers et abdominaux sont toniques. Tirez le plus possible en arrière sans forcer, de façon à former un arc de cercle avec votre corps.

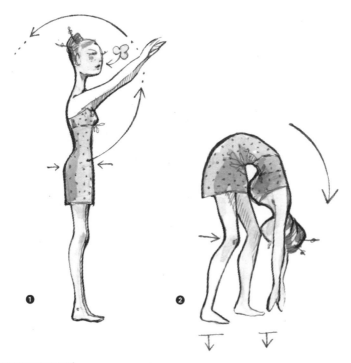

2e mouvement

Debout, les jambes tendues et écartées de la largeur des hanches, inspirez. En expirant, penchez-vous lentement en avant. Pliez légèrement les jambes jusqu'à ce que les cuisses touchent la poitrine. Relâchez totalement la tête, la nuque et les bras dans le vide. Vous pouvez, au lieu de laisser tomber vos bras, saisir vos coudes avec la main opposée et les laisser pendre de la même façon. Respirez normalement et remontez sans forcer. Cet exercice soulage les lombaires et décontracte la colonne vertébrale. Pratiquez cet exercice deux ou trois fois.

2^E EXERCICE :

Position de départ

À genoux, fesses sur les talons
et buste bien droit. Inspirez.

Mouvement

Expirez en descendant votre buste jusqu'à ce que votre ventre et votre poitrine
touchent vos cuisses et tendez vos bras le plus loin possible devant vous.
La tête doit être dans le prolongement du corps et vos fesses doivent rester
collées aux talons. Respirez sans forcer. Cet exercice permet le relâchement
du sacrum et une détente musculaire de haut en bas. À faire deux fois.

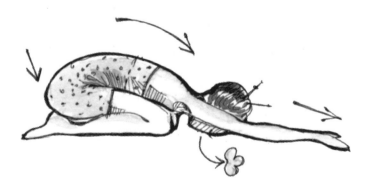

Réveil de l'énergie vitale et de la joie de vivre grâce au yoga

····⟩ Plus qu'une gymnastique, le yoga, discipline née il y a plusieurs millénaires et originaire de l'Inde, est avant tout une approche globale de la santé.

····⟩ Le yoga propose des postures qui dynamisent, renforcent et étirent les muscles, qui rendent la souplesse à la colonne vertébrale – notre axe vital, véritable arbre de vie –, qui calment les nerfs, qui tonifient et désintoxiquent les organes, tout en améliorant et en régulant le fonctionnement des glandes endocriniennes. Dans le même temps, le travail sur la concentration et la respiration apaise les tensions, chasse le stress et revitalise. Les exercices respiratoires apportent de l'oxygène et de l'énergie à chaque cellule, tout en nettoyant l'organisme.

····⟩ Véritable remède aux difficultés et aux exigences de la vie moderne, le yoga permet, grâce à une pratique régulière, d'améliorer sa santé physique et mentale ainsi que sa longévité. Le yoga est aussi une aventure permanente avec soi, car l'on ne finit jamais d'apprendre et d'être étonné par ses progrès, aussi infimes soient-ils, et par de nouvelles sensations. On peut répéter mille fois la même posture et y trouver à chaque fois de l'étonnement et une joie intense.

····⟩ Parmi les très nombreuses postures existantes, j'ai choisi de vous présenter la **Salutation au soleil** pour son affinité avec le début de la journée et son efficacité pour réveiller notre énergie vitale. Elle favorise également l'harmonie de la musculature et du squelette. C'est un exercice complet composé d'un enchaînement de douze mouvements que je vous recommande de pratiquer de préférence avant le petit déjeuner et en regardant le soleil levant ou en vous orientant vers l'est. Car si l'on pense au soleil pendant la salutation, son rayonnement irradie alors notre énergie. Cet enchaînement est accessible à tous et se réalise en quelques minutes seulement avec de l'entraînement. Vous pouvez d'ailleurs le répéter plusieurs fois par jour.

CONSEILS PRÉALABLES

····⟩ Afin de vous familiariser avec cet enchaînement, dans un premier temps, vous pouvez effectuer les mouvements 1-2-3-4-10-11 et 12.

····⟩ Recherchez la fluidité dans l'exécution de ces mouvements, sans pour autant viser la performance. L'enchaînement complet prend – avec une certaine habitude – environ 20 secondes. En période d'apprentissage, faites deux à trois fois ces enchaînements. Puis vous pourrez ensuite vous fixer comme premier objectif de faire quinze enchaînements en 5 minutes le matin.

····⟩ Il faut absolument synchroniser la respiration et les mouvements, même si, au début de cette pratique, la synchronisation ne peut s'effectuer de façon parfaite. Essayez d'enchaîner les mouvements, puis petit à petit concentrez-vous sur votre respiration pour une bonne coordination.

····⟩ Soyez à l'écoute de toutes vos sensations, plaisantes ou non.

CONTRE-INDICATIONS

····⟩ En cas de souffrance de la colonne vertébrale, d'arthrite, d'arthrose, d'asthénie marquée, d'états fébriles, de grossesse, d'articulations douloureuses, etc.

DESCRIPTION DE L'ENCHAÎNEMENT

Position de départ

Debout, pieds joints. Laissez pendre vos bras le long du corps.

Contractez les muscles fessiers et ceux de la partie avant de la cuisse.

Contractez les genoux et remontez les rotules. Bombez le thorax,

rentrez le ventre, étirez l'ensemble de la colonne vertébrale, mais surtout

la région cervicale. Veillez à répartir le poids du corps sur les deux pieds

et à avoir une assise bien stable en « verrouillage lombaire ».

Inspirez par le nez.

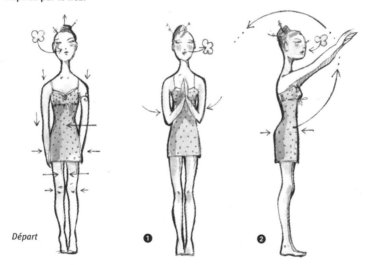

Départ ❶ ❷

1er mouvement

Expirez en repliant les bras serrés sur la poitrine, les mains jointes.

2e mouvement

Inspirez en levant les bras, les paumes tournées vers le ciel,

en tirant le plus possible en arrière sans forcer, fessiers et abdominaux toniques,

comme si vous dessiniez un arc de cercle avec votre corps.

3ᵉ mouvement

Expirez en fléchissant le tronc vers l'avant, en posant les paumes de vos mains
sur le sol, la tête en bas. Votre poitrine doit reposer sur vos jambes. Essayez,
si vous le pouvez, de tendre vos jambes, sans rechercher la perfection
et sans forcer. La pratique vous apportera petit à petit plus de souplesse.

4ᵉ mouvement

Inspirez en fléchissant la jambe droite et en restant
en appui sur cette jambe, les mains touchant le sol,
les bras dans le prolongement de la tête.
Allongez la jambe gauche vers l'arrière,
le genou à terre et les orteils à plat
sur le sol. Étirez bien le buste
et le menton vers le ciel.

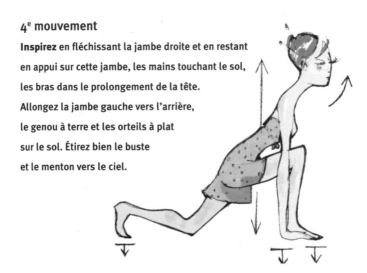

5ᵉ mouvement

Suspendez votre respiration, posez les pieds à plat sur le sol ainsi que les deux mains pour former un V avec les jambes et les bras. Maintenez-les tendus. Étirez bien le dos, les bras dans le prolongement du dos, tout en gardant les épaules basses et la tête complètement relâchée.

6ᵉ mouvement

Expirez en posant les genoux au sol, allongez votre corps sur le sol en le faisant glisser vers l'avant entre vos deux mains posées à plat. Le menton et la poitrine sont au sol, les bras repliés et les coudes collés aux flancs. Fesses légèrement remontées et pieds en appui sur les orteils, vous êtes prêt à soulever votre buste.

7ᵉ mouvement

Inspirez en redressant votre buste, la tête et le regard levés vers le ciel. Le dos et les jambes forment un arc de cercle. Allongez vos jambes en gardant les orteils posés à plat sur le sol.

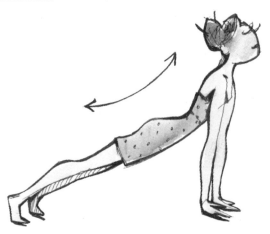

8ᵉ mouvement

Expirez en posant vos talons à plat – si possible – sur le sol, de façon à former à nouveau un V avec vos bras et vos jambes. Étirez bien le dos et relâchez la tête.

9ᵉ mouvement

Inspirez en projetant cette fois-ci
la jambe gauche près de la main gauche
et en allongeant la jambe droite vers l'arrière.
Même posture que la 4e décrite ci-dessus.

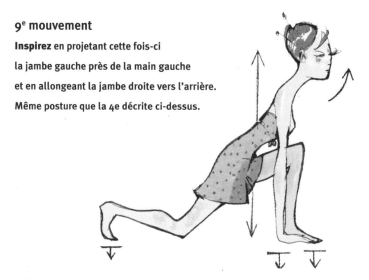

10ᵉ mouvement

Expirez en vous relevant en pince dans la même position que le 3e mouvement.
Votre poitrine repose sur vos jambes, la tête en bas et les mains posées au sol.
Si vous manquez de souplesse, pliez légèrement vos jambes.

11e mouvement

Inspirez en vous redressant et en étirant les bras à l'arrière, les paumes de main tournées vers le ciel.

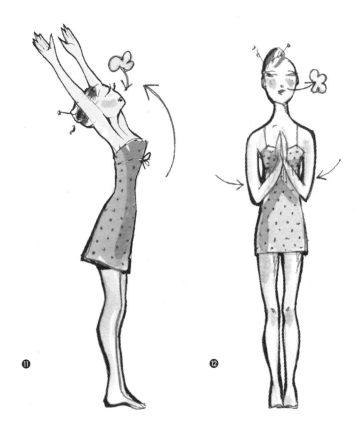

12e mouvement

Expirez en reprenant la position initiale : debout, la tête alignée sur la colonne vertébrale, les bras repliés sur la poitrine et les mains jointes.

Les petits bonheurs qui nous viennent du ciel

L'excitation d'une nouvelle journée

« Le plus beau sommeil ne vaut pas le moment où l'on se réveille. »
ANDRÉ GIDE, ÉCRIVAIN FRANÇAIS (1869-1951), *LES NOURRITURES TERRESTRES*

Dès qu'on ouvre l'œil, on peut se mettre dans l'action comme les enfants. C'est un nouveau jour, de nouvelles découvertes et de nouvelles expériences qui se profilent à l'horizon de cette matinée... De quoi démarrer la journée avec entrain et sourire !

Les bruits avec lesquels il est bon de se réveiller

Dès que j'entends les premières voitures rouler dans la rue, la porte palière de mon immeuble se fermer lourdement sur le dormant, les premiers pas frapper en pointillé le trottoir, les pieds des chaises du café d'en face grincer sur la terrasse... je sais que la journée commence et je suis heureuse ! Ces premiers bruits annoncent le matin qui se lève et me donnent du courage pour me lever de bonne humeur !

L'eau coule lentement dans mon verre puis glisse dans ma gorge, la bouilloire siffle, le grille-pain éjecte d'un bruit métallique les tartines grillées, les tasses en porcelaine et les couverts effleurent la table du petit déjeuner de leur doux cliquetis... Ces bruits familiers prennent le relais des rumeurs de la rue et sont pour moi le prélude d'une journée réussie !

Suaves odeurs matinales

À moitié endormie, j'aime sentir le parfum de la nuit sur ma peau et sur mes cheveux, ainsi que le coton encore chaud de mon oreiller. L'air frais du matin et les premières lueurs du jour s'infiltrent dans la chambre. Les odeurs entrelacées de café, de pain grillé, de confitures, de miel et de chocolat s'échappent de la cuisine et viennent titiller mes papilles... ces délicieux arômes du matin m'annoncent qu'il est temps de sortir de mon lit et me donnent envie de le faire !

La pluie battante

Rester 5 minutes de plus dans la chaleur de son lit pour écouter la pluie fouetter les volets, tout en s'abandonnant au plaisir délicieux d'être à l'abri sous la couette... On a alors envie que la pluie cesse de battre le sol et que se produise le moment magique où les oiseaux reviennent bruisser sur les feuilles ruisselantes et recommencent à chanter !

- Un rayon de soleil comme un doux clin d'œil
- Des flocons de neige
- Un arôme, une odeur (l'odeur du café et des tartines grillées, le chèvrefeuille, le chocolat...)
- Recevoir un baiser
- Accueillir un mot tendre
- Entendre un oiseau gazouiller...

Les petits bonheurs que l'on provoque...

« Nous devons donc ouvrir portes et fenêtres à la bonne humeur. Peu importe quand elle se décide à venir. » ARTHUR SCHOPENHAUER, PHILOSOPHE ALLEMAND (1788-1860), *APHORISMES SUR LA SAGESSE DANS LA VIE*

Esquisser son premier sourire dès que l'on ouvre les yeux

Si on se laisse submerger dès le réveil par des pensées négatives, un rendez-vous difficile, une tâche rébarbative, un problème à régler... notre humeur va en pâtir. De nombreuses études prouvent que, lors de ces premières minutes matinales, on absorbe plus facilement les pensées qui nous viennent, qu'elles soient agréables ou désagréables. Essayez plutôt de penser à ce qui sera plaisant pour vous, un déjeuner avec un ami, la lecture du dernier chapitre d'un livre passionnant, votre cours de yoga, votre pause « tricot »... et savourez sans attendre le plaisir que cette perspective vous offre.

> **SE DIRE QU'UNE NOUVELLE JOURNÉE COMMENCE AVEC SA DOSE D'INCONNU**
> Que le programme soit établi ou non, cela m'excite d'imaginer
> que l'inattendu peut surgir à tout moment...

Se réjouir d'être en vie et de ce que l'on a

« On entend souvent dire : "Si j'avais ceci, si j'avais cela, je serais heureux",
et l'on prend l'habitude de croire que le bonheur réside dans le futur
et ne vit qu'en conditions exceptionnelles. Le bonheur habite le présent,
et le plus quotidien des présents. Il faut dire : "Malgré ceci et malgré cela,
je suis heureux." »

JEAN GIONO, ÉCRIVAIN FRANÇAIS (1895-1970), LA CHASSE AU BONHEUR

Avant de me lancer dans le rythme de la journée et de poser mes pieds au sol, j'aime me dire que je suis heureuse d'être là, en vie, et d'avoir ce que j'ai. Et ce, malgré les soucis, les contrariétés et les combats que je mène... Gaspiller son capital de vie, rêver d'une autre existence, se lamenter sur son passé ou sur une situation actuelle insatisfaisante entame notre énergie et nous fait oublier que la vie est fragile et précieuse... Il y a en effet matière à jubiler d'être en vie et d'avoir ce que l'on a : une personne chère près de soi, un métier que l'on aime ou un travail, une maison agréable, un talent, un(e) ami(e)... En nous exerçant à voir les bons côtés de l'existence et à en accepter les contraintes, notre regard sur le quotidien s'allège, devient brise et souffle caressant.

Des projets, moteurs de nos journées !

Un projet, quelle qu'en soit la nature, offre à notre vie un élan, une véritable raison de vivre. Se donner un but, des objectifs, c'est ce qui fait avancer. Bien faire ce que l'on a à faire, travailler pour s'offrir un beau voyage ou pour réussir un examen, gagner de l'argent pour obtenir le confort nécessaire à son épanouissement ou pour être libre, fonder une famille, changer de métier d'ici à deux ans...

Sans avoir de programme bien défini, je réfléchis, j'écris chaque jour quelques feuillets qui se traduiront quelques mois plus tard par la publication de mon livre. J'aime travailler sur ce projet intense et jubilatoire, malgré les incertitudes, les doutes, les hauts et les bas...

LE PREMIER CAFÉ DE LA JOURNÉE

Après mes ablutions matinales,

quelques exercices de respiration

et diverses besognes domestiques,

me voilà prête pour démarrer ma journée

de travail. Je mets en marche mon ordinateur.

Et je savoure mon premier café !

Son arôme parfume la pièce et sa saveur

me donne du cœur à l'ouvrage !

Décider de s'abstenir de quelque chose

Voyons dans l'abstinence non pas une contrainte qui nous priverait de quelque chose, mais plutôt l'opportunité de mieux cerner nos dépendances et de nous en défaire. S'abstenir d'une chose que l'on a l'habitude de faire, de penser ou de consommer... permet de devenir plus attentif à soi et par là même plus libre.

En début de journée, décidons d'éviter par exemple :

- de regarder la télévision ;
- de dire que l'on n'y arrivera pas ;
- de grignoter entre les repas ;
- de fumer ;
- de faire la tête ;
- de dire oui à tout ce que l'on nous demande, etc.

et profitons des effets satisfaisants que cela nous procure !

De l'indulgence pour s'ouvrir à l'action et à la joie

Chaque réveil nous donne l'opportunité de déployer une nouvelle énergie. Or, nos premières pensées sont bien souvent teintées des difficultés de la veille, de la période que nous traversons ou d'un passé pesant qui absorbent instantanément une bonne partie de cette énergie. Il est donc essentiel de définir la couleur de chaque nouvelle journée, en chassant ces pensées parasites et en les remplaçant par des pensées indulgentes et sincères à l'égard de soi et des autres. Après tout, ce n'est pas si grave d'être arrivé en retard à un rendez-vous, de n'avoir pas su dire non, d'avoir été insulté par un conducteur stressé ou ignoré par un collègue de travail, etc. S'accepter tel que l'on est, avec son lot de fragilités et de faiblesses ou exprimer sa compassion à ceux qui nous ont fait souffrir, nous blessent ou nous déçoivent, permet aux pensées positives de surgir et de nous ouvrir à l'action et à la joie de vivre une nouvelle journée.

De l'art de ne pas se fier au baromètre extérieur

De nombreuses études ont prouvé que le soleil, source de lumière, de chaleur et de vie a un effet bénéfique sur notre moral. Du temps de nos ancêtres, le soleil avait une importance capitale car il leur permettait de s'éclairer, de se réchauffer et de chasser. Et de nombreuses civilisations l'adorèrent par la suite. La perception positive du soleil est ainsi bien ancrée depuis des millénaires dans notre culture humaine, et ce à juste titre.

Cependant, il est parfois bon de se rappeler les bienfaits et les charmes que procurent les intempéries extérieures. La pluie fertilise la terre, favorise la pousse des champignons, nettoie la nature, résonne comme une musique sur le toit d'une voiture, embellit notre peau – au XVIe siècle, Diane de Poitiers, célèbre pour sa beauté, exposait son visage à la pluie lors de ses chevauchées chasseresses pour avoir une peau superbe ! Le vent fait bouger les feuilles et trembler les roseaux, chasse les nuages, nettoie l'atmosphère, *« beugle, siffle, râle et miaule »* (Leconte de Lisle, poète français, 1818-1894), il a son charme et son utilité dans les lois de l'atmosphère.

Nous le savons, les aléas climatiques ne sont pas de notre ressort. Nous sommes seulement spectateurs de leurs variations qui donnent du relief à ce qui nous entoure. Si le soleil brillait tous les jours, en aurions-nous seulement conscience et n'aspirerions-nous pas à la pluie, au vent, à la neige, au brouillard ? Il en va des variations climatiques comme de nos petits bonheurs car si nous étions constamment heureux, le saurions-nous ?

De même, s'en remettre à la météo du jour pour vivre en « gris » une journée qui s'annonce maussade ou en « rose » une journée ensoleillée biaise notre réalité intérieure et reviendrait à imaginer que notre bonheur dépend du temps. Décider de son humeur matinale et se mettre au beau fixe dès le réveil, voilà qui saura pimenter notre journée !

Chanter sous la douche pour dire ses sentiments

Y a-t-il un meilleur endroit que la salle de bains pour chanter de bon matin, en particulier sous la douche ? Chanter ce qui nous plaît, un air que nous aimons, des paroles que nous inventons sur une mélodie connue, ou une chanson que nous inventons de A à Z... est une bouffée de joie, même si nous chantons faux.

Avec une voix bien reposée le matin, nous ferons sortir sans difficulté les sons qui nous plaisent. Ce que nous chantons nous entraîne et donne à notre journée une coloration stimulante. C'est aussi un excellent moyen d'évacuer une situation désagréable ou de se débarrasser de sentiments négatifs ! Chanter est un « plaisir de chair » qui aide à relativiser les tracas quotidiens : ça donne envie de manger, de sourire, de croquer les gens, c'est enthousiasmant ! Le chant fait également travailler la respiration. Comparable à un effort physique, il amène un mieux-être immédiat.

Ma fille cadette, Clémence, chante à tue-tête presque tous les jours sous sa douche, quelle que soit son humeur. Et même lorsque sa journée a été stressante, il n'est pas rare de la voir sortir de la salle de bains complètement zen !

⋯⟩ Se lever plus tôt pour profiter de la journée

Quand tout autour de soi est silencieux et endormi, il est bon de profiter de l'énergie du petit matin pour faire le point. On observe les premières lueurs du jour, le ciel, et on porte son regard au loin. Une façon d'inscrire cette nouvelle journée dans un champ sans limites et de pouvoir bien en profiter...

⋯⟩ Choisir sa nouvelle tenue du jour

En tout premier lieu, changer, secouer et ranger les vêtements de la veille afin de choisir une nouvelle tenue appropriée au climat et aux activités de la journée. Évitez les « je n'ai rien à me mettre ! » alors que l'armoire est pleine. Essayez des combinaisons originales ou que vous n'avez pas osées jusque-là. Vous étonnerez ainsi votre entourage par une tenue et des couleurs inhabituelles !

⋯⟩ Se laver les cheveux et se sentir en beauté

Quand je me lève en « petite forme », j'éprouve du plaisir à me laver les cheveux. Je prends soin de masser mon cuir chevelu tout en faisant mousser mon shampoing, et je rince longuement mes cheveux à l'eau chaude puis à l'eau froide. Ce lavage devient alors l'œuvre d'une transformation complète. Grâce à mes cheveux redevenus souples et brillants, je me sens légère, en beauté, et prête à vivre cette journée sous les meilleurs auspices. Les cheveux sont comme des antennes qui attirent l'énergie et le regard, la magie opère autour de moi !

- Vibrer avec son corps, vivre avec ses sens
- Décider d'être de bonne humeur, quel que soit le jour de la semaine
- Faire une prière...

Notez vos petits bonheurs sur cette page

Notez vos petits bonheurs sur cette page

La journée

Ces petites joies qui nous portent

« Je reste là au soleil, le cœur apaisé, en regardant les choses et les hommes
d'un œil amical et je sais que la vie vaut vraiment la peine d'être vécue,
que le bonheur est accessible, qu'il suffit simplement de trouver sa vocation profonde,
et de se donner à ce qu'on aime avec un abandon total. »
ROMAIN GARY, ROMANCIER FRANÇAIS (1914-1980), LES PROMESSES DE L'AUBE (AUTOBIOGRAPHIE)

Amplifier chaque bon moment

Ou l'art de savoir transformer en grâces ces petits riens qui jalonnent nos journées. Apprendre à les saisir et à les métamorphoser en instantanés heureux nous aide à trouver le chemin du bonheur.

En 1985, Raymond Devos, humoriste français (1922-2006), improvisant pour les vœux à la radio, disait d'ailleurs ceci : *« Ce passage que nous avons à faire sur la terre, passons-le le mieux possible, avec joie, avec jubilation. Je crois que vivre ça mérite de jubiler. Le moindre prétexte de joie, eh bien, je crois qu'il faut l'amplifier ! »*

Aller puiser dans sa sensibilité

Seule l'intensité vécue au plus profond de soi donne du relief à ce que l'on vit. Cela suppose d'avoir une grande présence à l'instant ou à l'événement et d'aller chercher la force dans sa sensibilité plutôt qu'à l'extérieur. C'est ainsi que l'on peut se souvenir toute une vie d'une rencontre exceptionnelle même si celle-ci n'a duré que quelques minutes, de la saveur particulière d'un mets parce que nous l'avons dégusté avec une attention et un plaisir extrêmes grâce à la beauté du lieu, au raffinement du service et peut-être même à la circonstance du repas... On se remémorera avec émotion un air d'opéra qui nous a fait frissonner de joie, un regard complice qui nous a fait sourire ou un geste tendre qui nous a parti-culièrement touché...

L'activité créatrice participe au plaisir de vivre

Chez les créatifs, la dopamine est présente de façon naturelle à haute dose. Pourquoi ? Parce que la curiosité, la créativité, en bref l'activité créatrice, sont très liées à la sensation de plaisir. C'est un peu comme les deux faces d'une médaille. Et si la nature a prévu les choses ainsi, c'est parce que les hommes comme les animaux doivent se tourner vers l'extérieur, se confronter au monde. Ils doivent être curieux pour pouvoir constamment inventer de nouvelles solutions à leurs problèmes. Voilà pourquoi la nature nous récompense avec des sensations de plaisir. Des études scientifiques démontrent d'ailleurs que les créatifs sont plus heureux, qu'ils règlent plus facilement leurs problèmes et qu'ils s'en sortent mieux professionnellement. Quand les individus sont heureux, les connexions entre les cellules cérébrales se modifient automatiquement.

Mille façons s'offrent à nous d'exercer notre créativité. Il n'est pas nécessaire d'être un artiste pour dessiner, peindre ou faire des collages, d'être un écrivain pour écrire un poème, d'être un grand chef pour inventer une recette de cuisine, ou d'être un sculpteur pour tailler un morceau de bois… Se lancer dans un domaine que l'on aime, sans se censurer, apportera du contentement et, qui sait, de belles récompenses ! Dont la première est d'oublier ses tracas quotidiens pendant que l'on est à ce que l'on fait…

Le rire est bon pour tout

« Il faut rire avant que d'être heureux, de peur de mourir sans avoir ri. »
JEAN DE LA BRUYÈRE, MORALISTE FRANÇAIS (1645-1696), *LES CARACTÈRES*

Un bon éclat de rire ravigote le moral comme la santé ! Rire procure une sensation de grande détente mais donne aussi bonne mine, détend les traits du visage, stimule la circulation sanguine et oxygène tout le corps. Cela provoque, paraît-il, un vrai massage des organes abdominaux. Aussi, ne ratez pas une occasion de regarder un film drôle, de lire un bouquin amusant, de chatouiller votre enfant ou de jouer avec votre animal domestique !

Ralentir, surtout si l'on est pressé

Charles Maurice de Talleyrand-Périgord, homme politique français (1754-1838), avait coutume de dire à son valet lorsqu'il avait une affaire pressante à régler :

« Va doucement Jean, je suis pressé ! »

Son bon conseil n'a semble-t-il pas pris une ride... Curieusement, alors que notre espérance de vie a augmenté, notre perception « d'avoir du temps libre » a changé au point que nous avons constamment l'impression de manquer de temps pour effectuer tout ce que nous avons à faire. De même que nos sacs à main ne nous semblent jamais assez grands, nous noircissons nos agendas de rendez-vous, d'activités, d'appels ou de listes de tâches à réaliser chaque jour... Et cela finit par nous plonger dans un état d'insatisfaction permanent, parfois même de désarroi.

N'est-il pas plus sage de marquer un temps d'arrêt, à l'instar de Talleyrand, et de commencer par se poser une question essentielle : « Est-ce important pour moi ? Quelle est ma priorité ? » Les réponses nous amènent tout naturellement à renoncer à vouloir tout faire et à éliminer les urgences au profit des priorités, qu'elles soient sérieuses ou futiles. On peut décider de finir un travail fastidieux et en éprouver une grande joie. On peut opter ponctuellement pour la flânerie et en tirer un immense plaisir. Ce qui compte, c'est d'être présent à soi et de privilégier la créativité, les rencontres épanouissantes, les plages de détente ou encore les activités qui nous correspondent... Ces moments à soi qui donnent à notre vie toute sa valeur. La seule règle à suivre est de s'écouter, afin de trouver la clef du meilleur emploi de son temps et de prendre de la distance avec un mental trop souvent agité.

Aller sagement !

Talleyrand nous met aussi en garde contre les dangers de la vitesse. Car plus on va vite et moins on est sûr d'arriver à bon port. Assertion que l'on retrouve également chez Jean de La Fontaine, poète français (1621-1695), dans *Le Lièvre et la tortue* ou dans le dicton « Qui va piano va sano ».

Combattre l'impatience

« Ce que tu peux changer, change-le,
ce que tu ne peux pas changer, accepte-le. »
PROVERBE CHINOIS

Je vous parle ici de cet état caractérisé par une grande difficulté à attendre avec calme. Dans notre société focalisée sur la productivité et la consommation, le temps est soumis à un impératif d'efficacité. Nous devons agir toujours plus vite, produire plus, remplir efficacement chaque case de notre temps quotidien. L'attente est devenue notre ennemi !

Et pourtant, la patience est essentielle à notre paix intérieure. Savoir attendre est une vertu très prisée par les sages de la Chine ancienne. Pour l'acquérir, il importe d'apprendre à s'ouvrir au moment présent. Si, lorsque vous faites la queue à la boulangerie, dans la file d'un cinéma, vous engagez la conversation avec votre voisin au lieu de piaffer d'impatience ou de réprimander un resquilleur, l'attente devient alors plaisante et vous réservera peut-être une agréable surprise : un sourire inoubliable, un hobby commun, un client potentiel, que sais-je ?

Ces « trouées » subies dans notre emploi du temps sont aussi de merveilleux passeports pour s'évader dans l'imaginaire. En attendant le bus, le car ou le métro, laissez votre esprit vagabonder et inventez une histoire amusante, une anecdote loufoque, un début de romance... Le ciel ne manque pas d'attraits. Hissez votre regard vers le haut, admirez un beau jardin suspendu ou un ciel orné de rubans cotonneux... C'est pas mal aussi ! Dans la salle d'attente d'un dentiste, d'un médecin ou d'une entreprise, au lieu de languir ou de « vous ronger les nerfs », profitez-en pour lire un magazine ou le bouquin rangé au fond de votre sac que vous avez rarement le temps d'ouvrir ! Enfin, si vous êtes pris dans un embouteillage, faites une bonne respiration afin de rester zen dans ce moment désagréable et relativisez. Être en retard n'est tout de même pas la fin du monde !

Laisser mûrir les choses

Quand on a accompli tout ce qui était en son pouvoir pour mener à bien un projet, la seule chose à faire est de laisser mûrir en attendant patiemment, car rien ne sert de s'agiter ou de vouloir précipiter les événements. Les paysans de la Chine ancienne savaient que le ciel finirait par leur envoyer la pluie, mais ils ne savaient pas quand : une fois les semailles terminées, ils rentraient chez eux et se reposaient. Comme eux, apprenons à nous détendre et à attendre tranquillement que les fruits de ce que nous avons semé soient prêts à être cueillis...

Se réjouir d'une coïncidence

Il y a quelques années, lors d'un voyage en train, je me dirigeais vers ma place lorsque je vis qu'elle était occupée. Je m'assis donc sur un autre siège. J'étais alors absorbée par un différend avec ma fille cadette, à l'époque âgée de quinze ans. Lors d'un emportement de sa part que je jugeais exagéré, j'avais décidé de la priver d'un week-end à Londres prévu quinze jours plus tard. Cette punition me contrariait, car ce voyage, prévu depuis longtemps avec sa sœur et des amis, était une joie pour tout le monde. Ma voisine de train me sortit de mes pensées en m'interpellant au sujet du livre que j'avais dans les mains. Nous nous mîmes à discuter et je découvris, au fil de la conversation, qu'elle était psychothérapeute, spécialisée dans les problématiques familiales. Notre échange s'est alors tout naturellement orienté vers le sujet qui m'occupait. Je dois dire que ses conseils m'ont été des plus utiles pour résoudre ce problème. En la quittant, je la remerciai de sa bienveillance et louai cette rencontre qui m'apportait, de façon fortuite, une réponse à mon problème.

Ces fameuses « synchronicités » – dont parle le psychanalyste Carl Gustav Jung – apparaissent de façon inattendue dans nos vies. Elles donnent des réponses à nos interrogations du moment, nous fournissent des informations que nous ne savions comment obtenir ou des coups de pouce pour agir. Contrairement à ce que l'on croit, ces phénomènes n'arrivent pas qu'aux plus chanceux mais à tous ceux qui y sont attentifs. Car, quand nous sommes vigilants, nous captons plus facilement ces signes qui, placés sur notre chemin, répondent à nos pensées et à nos aspirations les plus secrètes. En essayant de comprendre leur mode de fonctionnement, nous pourrons ainsi élaborer morceau par morceau une lecture nouvelle de notre vie. Plus nous remarquons ces signes, plus ils se produisent dans notre quotidien. Alors, pour notre plus grand bien, ouvrons nos oreilles et nos yeux pour les accueillir !

Attendre un résultat d'examen et être complètement rassuré

L'attente d'un résultat d'examen, qu'il soit médical, scolaire ou universitaire, de l'issue d'un entretien qui engage notre vie professionnelle ou de l'attribution d'un marché qui va sauver notre entreprise, peut être la source d'angoisses très violentes. Le temps qui s'écoule n'est plus vécu de la même façon. Chaque minute ou chaque journée qui nous sépare de la réponse nous semble interminable.

Nous le savons, en quelques secondes, notre sort peut basculer ou au contraire nous emplir de joie. Quand la nouvelle est bonne, en un clin d'œil, elle efface ces moments d'inquiétude, faisant place au soulagement, à la sensation d'un bonheur retrouvé ou tant espéré. Nos tensions tombent, les traits du visage remontent comme si notre visage avait subi une transformation. La vie nous semble belle !

Quand l'élégance fleurit à la boutonnière

On raconte que le chef de la Tour d'Argent, l'un des plus célèbres restaurants parisiens du monde, se faisait envoyer chaque jour un bleuet de Hollande pour le mettre à sa boutonnière. Cette petite fleur, surtout connue pour ses propriétés médicinales, exprimait une élégance d'un autre temps, son goût pour les belles et bonnes choses de la vie tout autant qu'une façon de rendre hommage à ses hôtes.

ADMIRER L'ÉLÉGANCE OU LA BEAUTÉ D'UNE FEMME
OU D'UN HOMME QUE JE CROISE.
J'essaie généralement de retenir le détail qui pourrait m'aller !

Mettre de la beauté dans sa vie

La beauté, selon Platon, philosophe grec (428-348 av. J-C.), n'est pas le privilège des artistes, c'est l'apanage du réel. En effet, la beauté ne réside pas seulement dans l'art. Grâce au regard que nous portons sur le monde qui nous entoure et en particulier sur l'harmonie que nous voyons entre l'homme et la nature, la beauté surgit dans notre vie quotidienne.

On se promène dans la rue, on aperçoit des jeunes pousses sur un arbre ou l'on hume de nouveaux parfums au détour d'un jardin et on a l'impression que c'est le premier printemps de notre vie... On traverse un pont et l'on s'émerveille du scintillement que produisent les premières lueurs du jour sur l'eau frémissante. Ou encore, en rentrant chez soi, on s'étonne des couleurs rose et bleu du ciel qui accompagnent le coucher du soleil...

De la même façon, on peut être bouleversé à la vue d'un visage ridé qui exprime tant de bonté, d'un baiser échangé entre deux amoureux ou d'un geste de tendresse entre une mère et son enfant. Cette beauté nous transforme : elle nous sort, comme par magie, de notre quotidien et nous transporte dans l'émerveillement d'une nature que nous croyons apercevoir pour la première fois ou dans la grâce des rencontres que nous faisons sur nos chemins quotidiens. Tout cela nous fait du bien. La beauté agit sur notre vie de tous les jours comme un baume : elle nettoie notre âme, la nourrit et l'embellit jusqu'à nous rendre meilleurs, comme le décrit si bien le poète et essayiste François Cheng dans son livre *Cinq méditations sur la beauté*.

VIVE LES BONNES NOUVELLES

Recevoir une carte postale, une lettre, un colis
ou une carte d'invitation me met du baume au cœur
pour la journée. De même, grande est ma joie
lorsque je suis conviée à un événement heureux
ou quand je reçois une visite agréable et inattendue.

DIRE DES BÊTISES

J'aime de temps en temps de m'amuser d'un mot,
d'une situation, et de dire ce qui me vient à l'esprit,
en dehors de toute logique, sans chercher
à y mettre du sens ou à faire de belles phrases.
Cela m'amuse et me détend largement
autant qu'une bonne séance de relaxation.

- S'émouvoir d'un bon mot d'enfant, croisé au hasard de notre chemin
- Aller où notre curiosité nous emmène
- Apercevoir de nouvelles pousses sur le rosier...

Les joies qui demandent un petit effort

Se jeter dans l'action rend d'humeur joyeuse

Mon voisin affiche depuis quelques mois un certain découragement. Je me hasarde à lui demander ce qui l'accable, et il me répond : « Je tourne en rond dans mon travail actuel, je suis complètement démotivé. J'ai envie depuis longtemps d'aller vivre en Australie, mais je ne parle pas l'anglais. Et je n'ai pas le temps de prendre des cours. Je me sens vraiment coincé. » Certes, quatre heures de cours par jour ne sont pas envisageables, mais il existe nécessairement des solutions, à la condition de faire des petits efforts quotidiens. Par exemple, lire des livres ou des magazines en anglais pendant les transports quotidiens, emprunter ou acheter un DVD d'apprentissage en anglais et en faire 10 minutes par jour, regarder un film américain en version originale, de temps en temps... « Ces petites choses ne me mèneront à rien ! » me dit-il, battu d'avance... Pourquoi se décourager avant même d'avoir tenté quelque chose ? Une action, si petite soit-elle, porte nécessairement ses fruits. 10 minutes d'apprentissage d'anglais par jour, c'est peu mais ça vaut la peine de tenter l'expérience.

Dans les moments de dépit, d'incertitude ou de confusion, l'action est de loin la manœuvre la plus salvatrice. L'impulsion d'un geste, d'une action que l'on pose pour sortir d'une situation pesante libère des énergies nouvelles et nous permet souvent de résoudre des problèmes qui nous semblaient au préalable insolubles.

« *Le plus petit effort entraîne des suites sans fin* », affirme Alain, philosophe et essayiste français (1868-1951), dans ses *Propos sur le bonheur*. Je crois en effet qu'aucun effort n'est vain et que la plus petite audace peut produire son effet !

S'ACQUITTER D'UNE TÂCHE

Plaisir d'accomplir une tâche à laquelle je pense depuis plusieurs jours et que je remets chaque jour au lendemain. Même si je me trouve de bonnes raisons de ne pas le faire, ce report m'encombre l'esprit. Quand enfin je me décide, je ressens un grand soulagement. De même, lorsque je vois les feuilles de mes plantes s'incliner progressivement vers le sol, je ne peux passer devant elles sans me culpabiliser. Je me dis que je dois les arroser... puis je passe à autre chose. Et quand je me décide enfin à le faire, j'ai l'impression de revivre avec elles.

Faire chaque chose du mieux que l'on peut

Si l'on considère que chaque action que l'on accomplit s'imprime dans notre esprit, on s'efforce alors de porter la plus grande attention à chaque chose que l'on fait. Selon ce principe de la philosophie taoïste, ces empreintes en effet modèlent notre caractère et notre destinée. Et grande est la satisfaction d'avoir accompli une action avec succès. Un boulanger qui fait du bon pain aura à cœur de bien le faire et du plaisir à en voir les effets dans le contentement manifesté par ses clients. Les petits bonheurs de cette nature prolifèrent si l'on est attentif à soi et aux autres.

Affronter ses peurs

La peur bien souvent empêche de faire ce que l'on désire. Or, se confronter à de nouvelles situations est dans la nature humaine. Peu importe si l'on se trompe ou si l'on échoue. Si l'on admet que l'échec est un passage obligé pour atteindre son objectif ou pour progresser, on ne s'inquiétera pas d'un échec ou d'un contretemps. Au contraire, on s'en réjouira. Lorsque je suis face à une nouvelle situation ou à un nouveau défi, je m'efforce de me souvenir des actions les plus audacieuses que j'ai accomplies auparavant et de m'appuyer sur leur réussite pour surmonter l'obstacle et agir.

Être soi tout simplement

Ni trop sûr de soi ni pas assez. L'équilibre se trouve au milieu, dans un rapport à soi, juste et confortable, dans lequel on ne se surestime pas mais aussi dans lequel on s'accepte tel que l'on est. On sait reconnaître que l'on est fragile dans telle circonstance, on admet que tout ne va pas bien ou on accepte d'être en échec devant telle difficulté... On sait de la même façon se reconnaître une qualité, savourer un succès à sa juste valeur, entendre un compliment, recevoir un témoignage d'amitié... Je reçois le geste de tendresse de mon enfant, sans être à ce moment-là occupé par la pensée de mon travail. J'entends la désapprobation de mon collègue sans me dire que je suis nul. J'effectue une activité du mieux que je peux, sans me comparer à mon voisin qui avance deux fois plus vite. J'apprends à dire non à une demande que l'on me fait car je sais qu'elle ne me convient pas. De même, j'admets ne pas savoir à propos d'un sujet ou d'une situation inconnue. Je suis là dans le moment, conscient de mes atouts et de mes faiblesses. Cette sincérité me fait progresser chaque jour et fait également progresser mon lien avec les autres car je ne me place plus dans une optique où je me dis que je suis mieux ou moins bien que les autres. Je suis moi, tout simplement.

Vous verrez, les occasions de mettre à l'épreuve son estime de soi ne manquent pas au cours d'une journée. Et chaque fois qu'on en fait l'expérience, on éprouve la satisfaction d'être en accord avec soi et d'avoir progressé. Ce sentiment-là est bien supérieur à la notion de se sentir mieux ou moins bien que les autres. On ne se compare pas, on est tout simplement soi.

Agir pour éviter les regrets

Les regrets correspondent souvent à des choses que l'on n'a pas osé faire. Et ces regrets-là, on peut les garder longtemps en mémoire. L'action est bien la seule façon d'apprendre à vivre, à réussir ce que l'on entreprend, mais aussi à se tromper, à échouer et parfois même à s'en mordre les doigts. Cet échec ne barre pas la route de la réussite ; il marque seulement une étape. En effet, si l'on recommence en tirant des leçons de son échec, on finira par obtenir ultérieurement le succès. En n'osant pas agir, on évite le risque de connaître l'échec, mais on évite surtout le risque de se confronter à soi-même et l'immense joie de découvrir son potentiel caché. Comme l'affirme Frédéric Dard, romancier français contemporain *(Les*

Pensées de San-Antonio), « *Il vaut mieux charrier des remords que des regrets* »,
car le regret pèse bien plus sur notre conscience que le remords...

Aimer ses propres variations

« *Les hommes ne savent pas comment ce qui varie est d'accord avec soi.*

Il y a une harmonie de tensions opposées, comme celle de l'arc et de la lyre. »

Héraclite, philosophe grec (576-548 av j.c.), *Fragments*.

Hippolyte, *Réfutation de toutes les hérésies*, ix, 9, 2

Les mouvements de mon psychisme m'inquiétaient jusqu'au jour où j'ai réalisé
qu'ils me montraient à quel point j'étais bien vivante. En effet, il y a du bonheur à
constater que l'on change d'avis ou que l'on hésite sur un sujet que l'on maîtrisait
dans le passé. On a depuis expérimenté de nouvelles situations, fait de nouvelles
rencontres ou surmonté de nouveaux obstacles. Il y a dans cette variation l'expression même de la vie qui est changement, mouvement incessant.

Noter ses idées

Le petit carnet que vous aurez en permanence sur vous et dans lequel vous note-
rez vos idées, vos intuitions, vos désirs, sera le compagnon indispensable de vos
journées. En inscrivant vos pensées créatives au fur et à mesure qu'elles jaillissent,
vous leur donnez une réelle existence et vous stimulez votre imagination. Car cette
dernière ne demande qu'à être entraînée pour se manifester dans votre vie de tous
les jours et la pimenter de façon agréable. N'hésitez donc pas à écrire spontané-
ment vos idées sans vous censurer, sans oublier de relire vos notes de temps en
temps. Ainsi, vous les prenez au sérieux et leur donnez une chance de s'exprimer.
Vous serez étonné des changements ou des évolutions agréables qu'elles produiront dans votre quotidien.

> **CHOISIR UN CAHIER À SPIRALE TOUT NEUF POUR PRENDRE DES NOTES**
>
> Fureter dans les rayons papeterie pour acheter un nouveau cahier à spirale
> qui sera différent du précédent. J'aime que le papier soit écru et agréable au toucher,
> que la couverture m'inspire et que son format permette de le ranger facilement
> dans mon sac à main. Je regarde, je compare et finalement je trouve l'objet rare !

Un grand pas pour soi, un petit pour les autres

N'avez-vous jamais appréhendé un repas, une réunion, un entretien avec des personnes qui vous impressionnent, par crainte de ne pas être à la hauteur, de manquer d'à-propos et de ne pas briller par votre esprit ou votre culture… et finalement avoir passé un excellent moment ? La satisfaction d'avoir « assuré » représente pour soi une véritable victoire. Même si notre entourage ne remarque pas cette avancée ou la juge dérisoire, nous en retirons du plaisir et une grande satisfaction. Car c'est en apprenant à se nourrir de ces petits bonheurs, en les revendiquant comme un progrès pour soi et en se les remémorant qu'ils nous emmènent vers d'autres succès !

Entraîner sa mémoire au quotidien

Avoir une bonne mémoire évite de perdre du temps, réduit le stress et nous rend plus efficace. Avec une mémoire entraînée, on va par exemple réussir ses examens, et l'on souffrira moins dans sa vie quotidienne. Car c'est un vrai casse-tête de chercher ses clefs, un numéro de téléphone, un chiffre, le nom de la personne que l'on croise au restaurant, le code de sa carte bleue ou de la porte d'entrée de l'immeuble de ses amis…

····> D'après les spécialistes, l'ancrage d'une date, d'une adresse, d'un numéro, d'un nom et de bien d'autres sujets s'effectue en trois temps.

····> Voici, par exemple, comment retenir une adresse :
❶ envoyer à son cerveau l'information en se la répétant mentalement ;
❷ imaginer le lieu ;
❸ et redire à voix haute l'adresse à l'interlocuteur ou à soi-même.

L'utilisation systématique du Post-it est à éviter, car elle nous fait perdre l'habitude d'utiliser notre mémoire. Il est préférable de l'entraîner aussi souvent que possible à retenir les numéros de téléphone, les adresses de nos proches sans avoir recours systématiquement à notre agenda. Les rouages de la mémoire seront ainsi bien « huilés » et la vie grandement facilitée, pour notre plus grand bienfait.

Résoudre un problème

Une journée sans problème existe-t-elle vraiment ? Non bien sûr, mais le ou les problèmes prennent plus ou moins d'ampleur selon l'importance qu'on leur donne. Si on essaie de les régler en fonction de leurs priorités sans vouloir tous les résoudre, on aura déjà fait une bonne avancée. On s'aperçoit très souvent que les petites difficultés se règlent d'elles-mêmes. Par ailleurs, la résolution d'un problème a quelque chose à voir avec notre vision de la vie. En effet, si l'on voit la vie du bon côté, on va donc se nourrir de l'idée simple qu'il y a une solution même insuffisante à tout problème. Et que le plaisir de la chercher est déjà satisfaisant. Vous venez de vous fâcher avec un ami. Vous réalisez finalement que cette amitié vous polluait plus qu'elle ne vous faisait du bien... C'est en cultivant ce regard pétri de fraîcheur et de réalisme que notre vie se construit positivement.

UN LIVRE SOUS LA MAIN
Quand je me déplace, je garde toujours
dans mon sac un livre pour passer un bon moment
dans le métro ou dans une salle d'attente.

RENDRE UN SOURIRE SINCÈRE
Dans la rue, lorsque je rends un sourire
à une personne qui me sourit, ma journée s'illumine.
J'ai alors envie de sourire à mon tour aux personnes
que je croise et je vois fleurir avec bonheur
de nombreux sourires autour de moi...

SAVOIR SE PRÉSERVER

Je m'efforce de fuir ceux qui déversent

systématiquement sur les autres leurs soucis et leurs problèmes.

Je me protège ainsi d'un risque de contagion qui pourrait

altérer mon humeur et déteindre sur mon entourage !

QUAND ON A LES « NERFS »

Rien de tel que de crier dans ma voiture

ou dans ma salle de bains pour me libérer

de mes tensions ou d'une colère qui mijote

depuis quelque temps. Je dis en hurlant tout

ce qui me vient sans aucune censure, et j'en ressens

presque instantanément un grand apaisement.

Changer un petit détail de sa routine

Un petit changement suffit parfois à transformer sa journée. Une nouvelle coiffure, une couleur inusitée dans sa tenue vestimentaire, un trajet inaccoutumé pour aller travailler, un coup de fil à un ami perdu de vue depuis plusieurs années... et la journée devient plus excitante !

- La satisfaction d'avoir commencé et terminé quelque chose
- Faire du classement
- « Perdre » un peu de temps par-ci par-là
- Faire quelque chose d'utile pour les autres
- Éteindre son portable au restaurant
- Mettre en application une chose qui simplifierait notre journée
- Anticiper le plaisir à venir (pour un voyage, lire des guides à l'avance ou l'organiser soi-même sur Internet...)
- Aiguiser son sens critique en lisant des livres ou des magazines, en voyant des films et en rencontrant des gens ayant des opinions différentes des nôtres...

Les gestes qui mettent en forme

Se redresser et respirer un bon coup

C'est le remède « miracle » pour débarrasser ses épaules du poids du monde et s'ouvrir à la joie de vivre. On le sait, une attitude recroquevillée, épaules voûtées, tête basse… entraîne ou provient d'un repli sur soi ou d'un moral en berne.

En se redressant, on ouvre naturellement son plexus solaire. Ce seul mouvement produit des bienfaits immédiats : on oxygène son cerveau, on allège les cervicales et toute la colonne vertébrale. On relaxe son cou et ses épaules. Sans oublier les effets tout aussi importants sur le plan psychologique car, en ouvrant sa cage thoracique, on ouvre son cœur, on s'ouvre à la vie et on s'ouvre aux autres. En adoptant cette posture dynamique, on refuse de se laisser abattre, on prend la vie à bras-le-corps. La tristesse n'a pas de prise sur une telle attitude.

Pour vous redresser, mettez vos épaules en arrière en resserrant vos omoplates. Maintenez le menton droit en le rentrant légèrement, afin d'obtenir un « port de reine ou de roi ». Respirez profondément en ouvrant votre plexus solaire comme si vous vouliez le hisser vers le ciel.

Bâiller en toutes circonstances relaxe

En Occident, le bâillement, la plupart du temps involontaire, est généralement considéré comme un signe d'ennui ou de fatigue. La politesse nous recommande même de mettre la main devant la bouche.

Cependant, ce mouvement connu de tous, aussi aisé que le sourire, produit en quelques secondes des effets plus que bénéfiques : il décontracte le visage et propage une onde de détente dans tout le corps. Il offre au mental une parenthèse idéale pour retrouver son calme. Ce réflexe respiratoire à la portée de tous lutte efficacement contre le stress. Sachez que vous pouvez le provoquer à tout moment, chaque fois que vous en ressentez le besoin.

Ouvrez grand votre bouche de la façon la plus animale possible, en grimaçant si nécessaire. Et laissez monter le bâillement dans toute sa puissance, en laissant sortir les sons qui vous viennent. Vous ressentirez à la fois de la détente et une grande satisfaction. À consommer chaque fois que vous le désirez.

Un haussement des épaules pour chasser les soucis

Dans un moment difficile ou quand on a un souci, soulever et relâcher les épaules d'un mouvement sec apporte généralement un soulagement immédiat. Ce geste physique tout simple étire les muscles et les assouplit. On dirait qu'il permet au mental de relativiser et de se dire que tout cela n'a finalement pas beaucoup d'importance. Souvenez-vous-en, un petit haussement des épaules rend plus léger !

Retrouver une gestuelle originelle

Dans la vie moderne, on a appris, à la manière des fourmis, à faire vite et à bouger dans tous les sens, sans forcément tenir compte des besoins essentiels de notre corps. Si l'on compare notre façon de bouger à celle de peuples plus proches de la nature, nos corps nous apparaissent bien malmenés et nos gestes fort étriqués. Dos courbés, épaules voûtées, jambes croisées sur une chaise, démarches nez sur le trottoir, poignées de mains furtives, respiration saccadée et superficielle, tout cela en dit long sur la façon dont nous nous mouvons et dont nous exprimons nos pensées et nos états intérieurs. Ainsi, derrière nos gestes se cachent nos sens maltraités et trop souvent ignorés. Il va donc falloir réapprendre – à la manière des Orientaux – à trouver l'harmonie du corps et de l'esprit, grâce à des gestes conscients, amples et ouverts, qui font le lien entre les deux.

S'étirer à la manière des chats, s'asseoir sans croiser les jambes et les bras, redresser sa posture en marchant avec aisance, la tête haute et en balançant les bras, sont des mouvements simples qui permettent à notre corps de se déployer généreusement et qui font du bien. De même, la pratique des postures d'ouverture et d'extension du corps en gymnastique ou dans des disciplines orientales comme le yoga ou le qi gong permet de développer nos ressources avec peu d'efforts.

Inspirez par exemple par le nez en élevant les bras au ciel dans un mouvement d'expansion, tout en soulevant les talons, et expirez en ramenant lentement vos bras le long du corps et vos talons sur le sol.
Par ces gestes lents et souples, vous vous reliez au ciel et à la nature, en vous disant qu'elle est à votre portée, et vous ouvrez votre corps à l'énergie vitale. Une façon simple de tonifier votre corps et de ressentir l'agréable sensation de vous ouvrir à la vie ! J'aime pratiquer cette posture pour sa simplicité et la grande force qu'elle génère.

La marche rapide, idéale pour le tonus et les idées nouvelles

Mettre un pied devant l'autre et recommencer, quoi de plus naturel et de plus stimulant ! Une journée entamée par de bons gestes et une manière de bouger saine
et naturelle commence bien. En effet, la marche reste l'activité physique la plus
simple pour se déplacer d'un point à un autre et se maintenir en forme. Ce sport,
à la portée de tous et de surcroît très économique, nécessite seulement d'avoir de
bonnes chaussures et de s'alléger. Un sac ou un cartable suffisent ! Évitez de transporter à bout de bras trop de choses...

Que l'on soit en ville ou à la campagne, la marche rapide réunit de très nombreux
avantages pour la santé. Elle oxygène le cerveau et rééquilibre les deux hémis-
phères, stimule le système immunitaire, permet de brûler des calories, atténue le
stress... sans exiger de condition physique particulière. Elle permet de faire fleurir
de nouvelles idées. Il m'arrive d'ailleurs assez souvent de trouver en marchant des
solutions à un problème ! Cette simple action mécanique me prépare ainsi agréablement à la journée active qui s'annonce, tout en faisant travailler mon corps et
mon esprit de concert.

⋯⋗ Un exercice de respiration « tibétaine » aux effets multiples

Quelques respirations effectuées à la manière
« tibétaine » apportent équilibre et paix intérieure. Cet exercice respiratoire se pratique de
la façon suivante :

Tout d'abord, on inspire profondément par le
nez, on bloque la respiration 10 secondes, puis
on expire lentement par le nez de préférence.
On recommence plusieurs fois. Cela procure une
meilleure oxygénation des tissus et permet d'évacuer la fatigue et le stress. La circulation
sanguine et lymphatique s'en trouve favorisée, devenant ainsi plus rapide et tonique.

Ses bienfaits ne s'arrêtent pas là, car l'on ressent aussi une très agréable sensation de
légèreté, de calme, voire même de liberté !

⋯⟩ Le repos éclair

Quand la fatigue vous gagne ou si vous souhaitez vous détendre en quelques secondes, rien de tel qu'une relaxation « flash » pour reprendre des forces. Cette technique procure un grand relâchement. Elle est d'ailleurs pratiquée par les yogis entre les postures.

Allongez-vous sur le sol, les bras et les jambes légèrement entrouverts, les paumes de main tournées vers le haut, les paupières closes. Comme si vous étiez une poupée de chiffon étendue immobile sur le sol, relâchez complètement vos pieds, vos mains, votre nuque ainsi que tous les muscles, et faites deux ou trois respirations abdominales profondes.

Une pratique régulière et circonstancielle – quand le stress vous envahit par exemple – de cette relaxation éclair, en position allongée ou assise, favorisera le retour au calme physique et mental indispensable à votre équilibre.

⋯⟩ La respiration costale, excellent anti-stress

Avant de participer à une réunion, ou à l'issue d'une situation stressante quelle qu'elle soit, cette respiration détend en quelques secondes. Elle s'effectue en emplissant les poumons d'air dans la partie moyenne et dilate la cage thoracique comme un soufflet.

Installez-vous de préférence dans un endroit calme. Inspirez par le nez sur trois temps en sentant bien gonfler votre cage thoracique, tandis que votre ventre se creuse. Et vous expirez en trois temps par le nez en sentant bien votre cage thoracique se replier. Faites trois respirations successives. Cette technique entraîne une bonne ventilation des poumons et par conséquent une grande détente.

⋯⫶ L'art de se mettre dans sa bulle

Avec la posture de la feuille pliée, vous vous relaxez physiquement en quelques minutes. Et grâce au fait d'avoir la tête en bas, vous arrivez à vous relaxer profondément en décrochant de votre pensée et de votre vision des choses.

Agenouillez-vous, les fessiers sur les talons, et posez votre front au sol. Allongez vos bras à l'arrière le long des jambes, en détendant complètement vos bras, vos épaules, vos poi-

gnets et vos mains. Pour ceux qui n'arriveraient pas à prendre cette position, posez votre front sur vos deux poings empilés. Et en toute tranquillité, faites quatre à cinq respirations abdominales en inspirant et expirant par le nez.

⋯⫶ Se masser la tabatière

Pour avoir les idées claires et renforcer les défenses immunitaires, il est recommandé de masser vigoureusement la partie charnue située entre l'index et le pouce que l'on dénomme tabatière.

⋯⫶ Un massage du crâne pour se détendre en toutes circonstances

Vous effectuerez ce massage comme une friction en faisant du bout des doigts des rotations sur le crâne. Partez de la nuque et remontez lentement jusqu'au front plusieurs fois, en pétrissant bien le cuir chevelu et en restant attentif à vos sensations. Puis terminez par un léger massage des sourcils, des tempes et de la nuque. Très vite, vous ressentirez un relâchement de vos tensions et un afflux d'énergie dans votre cerveau.

⋯⋮ Frotter ses oreilles stimule

Si l'on veut tonifier son corps, on peut frictionner avec un doigt la zone se situant juste derrière l'oreille, après s'être frotté les mains quelques secondes. On peut aussi frotter ses lobes
de bas en haut.

Vous pouvez également poser vos mains à plat sur les pavillons et les masser d'avant en
arrière en les repliant. Il est aussi agréable de les pincer. Vous ressentirez une chaleur et
une bonne circulation de l'énergie dans vos oreilles et dans votre corps. Car, tout comme
les pieds, les mains et le visage, les oreilles sont une zone réflexe où se projettent tous les
organes du corps. Si bien que, lorsque vous massez les oreilles, vous agissez sur les points
réflexes correspondants.

⋯⋮ Soulager ses pieds dans la journée

Quitter ses chaussures – quand les circonstances le permettent – et faire quelques exercices de contraction-détente des orteils amène une bonne détente du corps et du mental.
Un petit massage des pieds combat à merveille le stress. Après vous être installé confortablement dans un lieu calme, massez avec douceur la voûte plantaire en partant des
orteils pour aller jusqu'au talon. Puis malaxez délicatement chaque orteil. Ces gestes
vous apportent progressivement de la détente. Terminez par des mouvements circulaires
sur le dessus du pied et remontez jusqu'a la cheville.

Vous pouvez installer un « boulier » sous votre ordinateur pour vous relaxer tout en tra-
vaillant. C'est très agréable.

···⫶ S'étirer en essayant de toucher le ciel

Cet étirement tout simple est très relaxant. Levez les bras au-dessus de la tête et tendez-les comme si vous vouliez toucher le ciel avec vos mains. Soulevez les épaules et poussez dans le sol avec vos pieds afin que l'étirement soit complet. Veillez à ce que votre colonne vertébrale soit bien droite. Faites dans cette position deux ou trois respirations complètes, en inspirant et en expirant par le nez. Baissez les bras en expirant. Vous pouvez recommencer cet exercice plusieurs fois afin de bien vous détendre.

···⫶ Faire des grimaces

À l'encontre des idées reçues, grimacer ne génère pas de rides mais détend les muscles du visage en les faisant travailler. Les bâillements arrivent naturellement, les traits se détendent, les tensions diminuent.

Au travail

Des moments à soi grâce à une journée bien organisée

L'idéal est de commencer par planifier les actions de la journée par ordre d'importance, en se rappelant le but essentiel de chacune d'elles. Éliminez tout ce qui vous éloigne de votre but. Veillez à ce que cette liste soit à votre portée afin de ne pas ajouter de pression supplémentaire. Donnez-vous un délai pour réaliser chaque tâche. Et demandez-vous chaque jour : « En quoi ai-je progressé vers mon objectif ? »

Ranger son bureau fait gagner beaucoup de temps quand on n'a pas besoin de chercher un document indispensable sous des piles de dossiers.

Accordez-vous une ou plusieurs petites plages de tranquillité dans la journée, afin de récupérer en cas de baisse d'énergie, de pouvoir inclure des imprévus et de vous octroyer des petits plaisirs comme feuilleter un magazine, regarder un coin de nature, rêver ou repenser à votre soirée de la veille ! Car au fond, il s'agit de son temps à soi, la seule chose que l'on ne puisse pas économiser.

Se ménager de doux moments de récupération

Pour récupérer d'une nuit trop courte, d'une matinée stressante ou d'une baisse d'énergie, la micro-sieste est idéale. Elle ne dure pas plus de cinq minutes et peut se pratiquer à tout moment de la journée, en position assise ou allongée. Les personnes expérimentées peuvent même la pratiquer debout. Comme une activité sportive, la micro-sieste s'apprend et s'exerce au quotidien. Elle s'obtient par une bonne contraction-détente de vos muscles.

Commencez par vous installer confortablement, en évitant de croiser vos bras et vos jambes, en desserrant votre ceinture pour libérer votre taille et en fermant les yeux. Concentrez-vous sur votre respiration et effectuez trois à quatre respirations profondes et fluides. Puis, après une inspiration, suspendez votre respiration et contractez tous vos muscles des pieds à la tête : votre front est plissé, vos poings sont fermés, vos pieds, votre cou, votre mâchoire, vos fessiers, vos bras et tous vos autres muscles sont crispés. Vous expirerez ensuite par la bouche, en relâchant complètement votre corps. À faire deux ou trois fois de suite jusqu'à ce que vous ressentiez vos membres lourds et inertes.

Concentrez-vous sur votre respiration tranquille et la sensation d'engourdissement qui parcourt votre corps. Cette prise de conscience favorise la détente de votre mental. Même si vous ne dormez pas, la micro-sieste est bienfaisante. C'est en s'exerçant régulièrement que l'on apprend à s'endormir en quelques secondes et à se réveiller cinq minutes plus tard. Dans un premier temps, les néophytes s'en remettront à l'horloge de leur réveil ou à leur entourage pour être réveillés quelques minutes plus tard.

Pour sortir de cette courte sieste, il est important de prendre le temps de s'étirer comme un chat plusieurs fois. Commencez par les extrémités (vos doigts, vos mains, vos pieds), puis les bras et les jambes et enfin tout le corps. N'oubliez pas de vous imprégner des effets réparateurs issus de cette courte pause. Vous voilà donc prêt à reprendre le cours normal de votre journée avec plus d'entrain et d'efficacité !

S'OCTROYER DE COURTES RÉCRÉATIONS

Prendre un café avec un collègue, échanger

quelques plaisanteries au bureau... et autres brèves

récréations apportent la petite touche d'oxygène nécessaire

pour se reposer de tâches sérieuses et reprendre ensuite

son activité avec plus d'entrain. De retour chez soi,

il est agréable de se reposer des activités du jour

en bavardant au téléphone avec une amie, en jouant au Lego

avec son enfant ou en lisant un magazine...

S'échapper pour mieux se concentrer ensuite

Dès que l'on sent monter en soi le stress, la fatigue ou une grande difficulté à se concentrer, il est bon de s'évader pour un court laps de temps. Laisser son esprit vagabonder, rêver, s'aérer quelques minutes en sortant ou en ouvrant la fenêtre contribue tout autant que la micro-sieste à recharger ses batteries. Ces minuscules échappées ont des vertus de ressourcement si elles sont bien maîtrisées. Il est indispensable de poser le cadre de cette petite récréation pour en bénéficier pleinement. On décide tout d'abord d'ouvrir la parenthèse sans culpabiliser, on s'évade pendant quelques instants, seulement attentif au plaisir d'être, et l'on reprend son activité avec sérieux. Rien de tel pour favoriser la détente et la concentration.

La civilité au cœur de nos relations professionnelles

La courtoisie n'est pas l'apanage d'une élite mais le passeport pour des relations fondées sur l'élégance, la correction et surtout le respect d'autrui. Malgré la rudesse des temps, le savoir-vivre rajeuni par un mode de vie débarrassé des conventions d'antan rend la vie quotidienne en société et en particulier dans la vie professionnelle plus douce.

Côtoyer une personne qui se montre au fil des jours polie, attentionnée, délicate avec les autres favorise l'harmonie, si nécessaire dans nos vies professionnelles. Quel bonheur de travailler avec une personne qui vous salue avec le sourire chaque matin, qui vous demande les choses en y mettant les formes, qui vous écoute, qui a un mot gentil en toutes circonstances, qui écrit des mails en commençant par un « bonjour » et les termine par une courte formule de politesse, qui sait devancer une demande, remercier à bon escient, éviter toute médisance... Ces règles simples qui nécessitent parfois de prendre du temps pour les autres sont absolument nécessaires pour embellir notre vie quotidienne au travail et au final nous rendre plus motivés et plus efficaces.

La bonne humeur produit des miracles...

La bonne humeur est la qualité qui contribue le plus à notre bonheur et qui de surcroît trouve tout de suite sa récompense. De même qu'en s'exerçant à sourire de bon matin on ressent immédiatement les effets de cette attitude positive sur notre humeur et sur celle de notre entourage, dans le travail, la bonne humeur agit très favorablement. Grâce à elle, on peut prendre son travail avec entrain et on relativise les problèmes en trouvant la bonne distance. Ni trop investi, ni pas assez, nous sommes dans un juste équilibre où les problèmes ont moins d'importance et les bons moments la leur. L'efficacité en est la première conséquence. D'autre part, on le sait, la bonne humeur a comme avantage de se propager à grande vitesse autour de soi. Qui peut d'ailleurs résister à un sourire, à un trait d'humour ou à un geste sympathique ?

- Organiser sa journée et avoir le sentiment d'avoir avancé
- Terminer un travail et en être fier
- Être bienveillant plutôt que se laisser aller à la critique
- Avoir une occupation qu'on aime...

Manger et boire, nécessités et plaisirs

Expérimenter la pleine conscience des petits gestes quotidiens

Émincer un légume, trier une salade, préparer une purée ou goûter une sauce d'accompagnement... en étant à la fois présent et heureux de ce que l'on fait donne une dimension extraordinaire à ce moment tout à fait ordinaire. Et si l'on y ajoute une touche d'amour, la joie est alors à son comble.

Bien plus qu'une recette sophistiquée, une préparation culinaire toute simple peut ravir nos convives parce qu'elle a été préparée dans cette disposition d'âme. J'ai maintes fois observé qu'ils reconnaissent intuitivement dans la cuisine qu'on leur sert la présence qu'on a manifestée pendant la préparation du repas et l'amour qu'on y a mis.

Boire un verre de bon vin est plaisant

Qu'il soit rouge, blanc, rosé, pétillant, sec ou doux, un vin de qualité enchante nos papilles lorsqu'il accompagne un bon repas, lorsqu'il scelle un bon moment ou lorsqu'il participe à un événement heureux.

Ce breuvage, considéré comme la boisson des dieux, est avant tout le plaisir de notre palais tout à la découverte d'une couleur, d'un arôme, d'un parfum subtil. On reconnaît la saveur d'un fruit, d'une plante, du bois, de la terre, d'une écorce, d'un cépage... ou de bien autres ingrédients naturels.

Un verre de bon vin, consommé dans un contexte convivial, apporte également un petit souffle de liberté dans l'expression des émotions et le partage. Les conversations s'émaillent de sourires et de rires, les paroles deviennent plus libres, les mouvements se font plus aériens. On se sent plus léger et tout simplement content.

Manger équilibré rend heureux, les petits excès aussi !

Quelques principes de alimentaires base sont nécessaires pour établir les fondations d'une bonne hygiène de vie. Une alimentation à la fois naturelle, régulière, frugale, variée, équilibrée et digeste réclame de la discipline, beaucoup d'atten-tion et de volonté. Mais elle produit aussi des effets encourageants car on se sent progressivement plus léger, plus tonique, plus résistant, on redécouvre l'envie de faire du sport, on dort mieux, on devient moins réceptif au stress dans son travail... Tous ces résultats entraînent une grande satisfaction, stimulant ainsi notre envie de continuer à manger sainement.

On ne saurait pourtant s'astreindre chaque jour à suivre des règles strictes en matière d'alimentation car, on le sait, les règles sont faites pour être – un peu ! – transgressées, sans culpabilité. Il faut savoir succomber de temps en temps à ses envies. Tant pis si le chou à la crème est irrésistible et si l'on reprend trois fois de la délicieuse sauce du bœuf bourguignon. Car satisfaire ainsi ses papilles n'en sera que plus digeste !

Prendre le temps de mastiquer

Le plus souvent, nous ne prenons pas le temps de manger calmement et de savourer nos aliments. Nous déjeunons sur le pouce, pensons à nos soucis, engloutissons notre assiette sans même savoir ce que nous ingurgitons…

Sachez que ces repas pris à toute allure peuvent avoir des répercussions fâcheuses sur votre forme et votre santé. Du stress supplémentaire tout d'abord, favorisant pour certains le recours aux excitants comme le café, les cigarettes, l'alcool, le thé… Cela peut également entraîner à la longue des troubles digestifs. Il n'est pas rare d'avoir à la fin d'un repas expédié en quelques minutes des difficultés à digérer, le ventre ballonné… Et aussi, une baisse d'énergie parce que l'estomac se fatigue beaucoup plus !

On sait bien que l'idéal est de faire un repas équilibré, pris tranquillement dans un lieu calme ! Ce n'est hélas pas toujours possible et l'essentiel n'est pas là, affirment les Orientaux. Ils accordent en effet plus d'importance à ce qu'ils assimilent qu'à ce qu'ils mangent. Et pour bien assimiler, il faut mastiquer les aliments.

Quand on mastique, on imprègne les aliments de salive, ce qui permet de les pré-digérer et de faciliter la digestion. Il est même recommandé de mâcher les aliments liquides comme le lait, l'eau ou la soupe. Autre avantage de la mastication : on devient plus attentif à ce que l'on mange et on découvre de nouvelles saveurs grâce à leur transformation progressive dans la bouche.

Certes, prendre le temps de mastiquer n'est pas une tâche facile. Il va donc falloir y aller progressivement. Au début de chaque repas, prenez une petite bouchée et comptez jusqu'à 15 avant de l'ingurgiter. Le lendemain, faites la même chose pour les deux premières bouchées. C'est l'affaire de quelques secondes seulement. Exercez-vous à chaque repas. Vous serez étonné des premiers bienfaits. Peut-être allez-vous vous apercevoir que vous mangez moins, ou que vous réussissez à libérer de l'énergie pour d'autres tâches. Et cela vous encouragera à continuer, j'en suis certaine !

Le confort au premier chef !

Il va de soi que manger debout ou marcher en mangeant dans la rue vous privera des bénéfices attendus d'un repas destiné à vous recharger en énergie et non en stress ! Pour favoriser la détente, commencez par vous décontracter en vous installant de manière confortable à une table, sans croiser les jambes afin de ne pas bloquer votre énergie. Le cérémonial du repas débute avant de se mettre à table. Préparez votre repas et installez votre table de façon à vous éviter de vous lever de nombreuses fois au cours du repas. Et surtout ne faites rien d'autre, soyez pleinement attentif à ce que vous mangez. Vous aurez bien plus de plaisir à vous nourrir !

- Faire pousser et manger des graines germées
- Manger des produits biologiques et profiter de leurs bienfaits
- Se délecter d'un bon chocolat chaud « à l'ancienne »
- Se mettre à la diète de temps en temps
- Résister au grignotage
- Déguster la première fraise de la saison
- Goûter un mets pour la première fois
- Faire sa pâte à tarte soi-même plutôt qu'utiliser une pâte déjà préparée
- Se régaler d'un sandwich dans un lieu de rêve ou en compagnie d'une personne qu'on aime...

Notez vos petits bonheurs sur cette page

Notez vos petits bonheurs sur cette page

Notez vos petits bonheurs sur cette page

Le soir

Les petits bonheurs que l'on s'octroie

Rentrer chez soi en faisant l'école buissonnière

En fin de journée, il est bon de flâner sans contraintes pour se décontracter, après un labeur fatigant et stressant. Les bras ballants, chargé d'un sac léger et sans itinéraire préétabli, nous nous en remettons à nos envies qui vont nous conduire jusqu'à notre domicile dans un parcours en zigzag, cent fois plus charmant que notre itinéraire habituel. Qu'il est plaisant de remarquer le travail du compagnon sur une porte cochère dont le bel ouvrage a traversé les siècles, d'apprécier le charme d'une place que l'on aperçoit au loin tous les jours sans jamais prendre le temps de s'y promener, de s'imprégner du silence et de la fraîcheur d'une église en été, de s'asseoir sur un banc public juste pour regarder autour de soi ou réfléchir…

Dans ce parcours singulier et tranquille où l'on se donne du temps, on apprend à prendre la bonne distance avec les aléas et les tracas de la journée écoulée, avec les autres et avec ce qui nous entoure. Et l'on se rencontre... En période de stress intense, j'essaie, quand je le peux, de m'octroyer ce petit parcours d'aventure, avant de rentrer à la maison. Ce sas de décompression après une journée de travail est pour moi un bon moyen pour faire le vide et me rendre disponible à mon entourage une fois rentrée à la maison.

RETROUVER UNE MAISON ACCUEILLANTE

Lorsque je rentre chez moi, j'apprécie d'entrer dans une maison propre et bien rangée. Si l'entrée est bien dégagée, je ressens du plaisir et de la légèreté. A contrario, si mon premier regard bute sur du fouillis ou si je dois enjamber des désordres, j'éprouve un sentiment de difficulté à me laisser aller, comme si ces objets bloquaient mon énergie.

RETIRER SES CHAUSSURES

Lorsque je franchis le seuil de ma porte d'entrée, je quitte mes chaussures. J'ai ainsi la sensation de laisser à l'extérieur mes soucis de la journée. Je fais bouger mes doigts de pied, j'enfile mes pantoufles ou mieux je marche pieds nus sur le parquet. J'entre avec volupté dans le confort de mon nid et me meus d'une pièce à l'autre en toute liberté.

QUAND JE DIS BONJOUR À MON CHAT ET QU'IL ME RÉPOND

La porte d'entrée entrouverte, j'aperçois déjà mon chat qui m'accueille en s'étirant largement. C'est sa manière de m'inviter à lui faire des caresses. Je me débarrasse rapidement de mes affaires et lui fais quelques chatouillis sur le crâne, sous le menton et sur le dos. Je perçois son contentement et je me détends au son de ses ronronnements.

Ah, ce qu'on est bien quand on est dans son bain !

Le bain, quand il n'est pas lié uniquement à la propreté, est un plaisir intime, intense et sensuel. Dans les cultures orientales, le bain a toujours été associé au plaisir. Mon préféré, c'est le bain japonais parce qu'il concilie bien-être et respect de l'environnement. On le prend après s'être lavé sous une douche rapide. Donc, si l'on veut respecter la tradition japonaise, on s'assoit sur un petit tabouret et l'on fait ses ablutions à petits sauts d'eau provenant d'un robinet situé à hauteur des hanches. On se lave vigoureusement le corps avec du savon et des brosses et, quand on est propre, on s'installe confortablement dans la baignoire dans une eau qui peut aller jusqu'à une température de 42 °C !

Tout ce qui attise nos sens favorise la détente dans cette bulle délicieuse que nous nous concoctons au creux de la baignoire : notre musique préférée, une lumière tamisée, un livre... Boire une tisane, un jus de fruits ou une coupe de champagne ajoute une petite note exquise à cet instant de beauté et de renaissance ! Le rêve, c'est aussi d'avoir un joli paysage à regarder, une photo représentant un lieu que nous aimons, une plante... Nous sommes donc prêts pour nous laisser aller à la contemplation, bien au chaud dans ce bain qui nous berce.

Autrefois, lorsque l'eau était rare et précieuse, le bain servait à plusieurs personnes qui le prenaient dans un ordre hiérarchique ou parfois ensemble. Il y a un réel plaisir aujourd'hui à retrouver ces pratiques ancestrales pour préserver notre environnement. Au lieu de prendre un bain par personne, on peut se succéder dans la baignoire par exemple. C'est pratique, amusant, et cela ne gâche en rien le plaisir du bain.

Bichonner ses pieds

Nos pieds nous supportent tout au long de la journée. Savez-vous que nous faisons en moyenne entre 8 000 et 12 000 pas par jour ! Enfermés dans des chaussures parfois inconfortables, ils endurent souvent de dures épreuves. *« De très petites causes peuvent gâter une belle journée, par exemple un soulier qui blesse. Rien ne peut plaire et le jugement en est hébété »*, précise Alain, le philosophe, dans ses *Propos sur le bonheur*. Il est donc essentiel de prendre soin de nos pieds dès notre retour à la maison en retirant nos chaussures et en les décontractant. Pour cela, il faut contracter les muscles puis relâcher lentement. Une vraie détente s'ensuit que vous pouvez prolonger par un massage de quelques minutes.

Faire le dos rond pour trouver l'apaisement

1ER MOUVEMENT

Mettez-vous à quatre pattes et inspirez par le nez en creusant le dos, en relevant la tête et en tirant légèrement les épaules vers l'arrière.

2E MOUVEMENT

Expirez en arrondissant le dos, en creusant le ventre et en relâchant la tête. Poussez dans le sol avec vos mains et vos genoux.

Cet exercice est à faire lentement, en liant bien l'inspiration et l'expiration. Il permet de calmer les tensions accumulées pendant la journée.

Une relaxation totale

La relaxation, comme la respiration, sont les meilleurs remèdes pour lutter contre le stress qui pèse sur notre vie de tous les jours. L'art de la relaxation, à l'instar de la sieste, s'acquiert facilement avec la pratique et agit de façon favorable sur la santé, en luttant efficacement contre les tensions. Le temps idéal d'une relaxation complète est de 15 à 20 minutes. Cependant, 10 minutes suffisent pour se détendre agréablement.

L'exercice de relaxation suivant, ou shavasana, issu du hatha yoga est facile à exécuter lorsque vous rentrez chez vous le soir, ou dans la journée quand le contexte le permet. Avec la pratique, en quelques minutes seulement, la détente vous gagne en profondeur. La première condition pour se détendre consiste à se réfugier dans une pièce aérée, à l'écart du bruit ou de l'entourage afin de ne pas être dérangé.

⋯⋮ Technique

Allongez-vous et après avoir fait – ou tenté de le faire – abstraction de vos soucis, commencez par vous étirer longuement, puis bâillez jusqu'à ce que vous ressentiez une sensation d'abandon et de détente complète. Couchez-vous à plat dos sur le sol, les bras le long du corps légèrement écartés en forme de « V », les paumes tournées vers le ciel, les doigts relâchés. Positionnez vos jambes de façon que vos cuisses ne se touchent pas, les petits orteils retombant vers le sol. Fermez vos yeux.

Effectuez une ou deux respirations abdominales, en restant très attentif aux mouvements de votre abdomen et du souffle qui entre et sort par vos narines, puis devenez progressivement le témoin passif de l'acte respiratoire. Observez-le sans l'influencer. Après avoir trouvé votre rythme respiratoire et une position très confortable, installez-vous dans une immobilité totale. Car si vous bougez, vous allez à nouveau contracter un muscle et repousser d'autant votre relaxation.

Parcourez mentalement toutes les parties de votre corps, en essayant de les relâcher au maximum. Commencez par le bas, les pieds avec les orteils, le talon, la voûte plantaire, la cheville, puis remontez par les mollets, les cuisses, les fessiers, les omoplates, les coudes, le dos des mains et enfin l'arrière de la tête. Prenez soin de relâcher chaque petite partie de votre visage. Vos lèvres – à peine entrouvertes – se touchent, votre mâchoire est décontractée, votre langue aussi. Votre front, votre visage tout entier est lisse et détendu. Vos paupières s'effleurent. Votre cuir chevelu est entièrement détendu.

La sensation de pesanteur sera pour vous le signal que votre relaxation se déroule dans de bonnes conditions. Tous vos membres et tous vos muscles deviennent de plus en plus lourds. Vous sentez à quel point votre dos et votre tête pèsent lourd sur le sol. Vous vous laissez porter progressivement par la sensation délicieuse de perdre peu à peu la conscience de votre corps et de « flotter » en dehors de votre corps et de toutes contingences matérielles.

CHERCHER UN BON RESTAURANT POUR LE LENDEMAIN
J'adore chercher un bon restaurant pour y dîner le lendemain,
et dans lequel nous pourrons converser agréablement à l'écart des voisins ;
il nous faut pour cela du confort et de l'espace. J'ai du plaisir à feuilleter
guides et magazines spécialisés afin de trouver la bonne adresse.
Mon esprit vagabonde et imagine lieux et mets à la lecture des commentaires
et de la description de la salle. Les menus me font déjà saliver...

- Prendre un bain de pied quand on a les pieds « en compote »
- Les jambes en l'air pour se détendre
- Enfiler une tenue confortable quand on rentre chez soi
- Écouter un CD qu'on adore...

Et ceux qui préparent ce mystérieux passage vers le sommeil

La nuit prend le relais nécessaire d'une fin de journée considérée comme la vieillesse du jour, où l'on se retrouve fatigué, las physiquement et moralement, content de s'abandonner à cette petite mort que représente la nuit.

« *Aucune période de la journée n'est plus mystérieuse que celle qui précède le sommeil. Nous entrons hésitants dans le sommeil comme dans une caverne...* »
ERNST JÜNGER, ÉCRIVAIN ALLEMAND **(1895-1998)**

Avant de s'endormir, passer en revue ce que l'on a fait dans la journée

Se remémorer les événements importants de la journée permet en quelques minutes de donner du sens et une existence propre à chaque journée. Il est utile de revenir sur des moments vécus trop vite ou mal vécus, d'en tirer des leçons quand cela s'impose et d'apprécier chaque instant de bonheur. Bien présent à chaque événement de la journée et à ce que nous avons ressenti, nous pourrons alors « boucler une boucle » avec une conscience plus claire de ce que nous avons vécu et nous libérer des pensées encombrantes. Rien de tel que *ce petit bilan quotidien pour s'ouvrir à une nuit plus calme.*

Ou mieux, noircir le papier

Tenir un journal nous évite de dévider l'écheveau de notre vie trop rapidement et sans réflexion. L'écriture capture le temps, redonne du sens à ces moments que nous avons consommés plus ou moins vite dans la journée. Sans retenue et sans prêter attention au style, écrire en particulier ses peurs, ses colères, ses pensées embarrassantes met de la distance entre soi et les problèmes. On se dépollue ainsi l'esprit avant de se coucher. L'apaisement obtenu par l'écriture facilite notre endormissement.

Les notes que nous prenons dans les moments importants de notre vie nous apportent de la matière et de la lumière pour aborder avec plus de sagesse des situations pour lesquelles la mémoire de circonstances oubliées serait utile... Je tiens un journal depuis de nombreuses années. La relecture de certains passages m'a été récemment très utile pour résoudre un problème analogue à une situation du passé que j'avais oubliée ! Alors, pourquoi se priver d'un moyen si simple et si utile pour soi ?

Imaginer avant de s'endormir le scénario tant désiré

Nous le savons, notre mental travaille pour nous, le plus souvent à notre insu. Avant de vous endormir, effectuez deux ou trois respirations profondes et lentes, puis imaginez le scénario ou les scénarios qui vous tiennent à cœur.

Si vous avez le lendemain matin une réunion importante avec un client ou un employeur potentiel, eh bien il vous suffit d'imaginer que cet entretien se déroule pour vous de façon très positive. Vous vous représentez le lieu, la position des différentes personnes présentes à cette réunion, votre tenue vestimentaire, éventuellement la leur, avec profusion de détails. Pensez également à ce que vous allez leur dire, à leurs réactions, en imaginant même des questions qui vous déstabiliseraient ainsi que la manière dont vous sortez vainqueur de la situation. Cette préparation mentale, juste avant de vous endormir, apaisera votre stress et sera un atout de réussite pour vous.

Vous pouvez, comme je le fais assez fréquemment, imaginer quelques scénarios à succès correspondant à vos désirs profonds, sans pour autant qu'ils soient liés à des situations immédiates. Vous pouvez ainsi visualiser l'aboutissement favorable d'un projet sur lequel vous travaillez depuis un an. Si vous rêvez de rencontrer l'âme sœur, imaginez, par exemple, que, lors d'une réception organisée chez vous, vous présentez cette personne à vos amis. Prenez soin de noter chaque détail de cette soirée et la gentillesse de chacun à l'égard de cette nouvelle personne. Ou si vous avez le projet d'acheter une maison au bord de l'océan, représentez-vous en train de convier vos proches à une crémaillère. Décrivez avec précision leurs réactions, leurs compliments sur le lieu, le caractère de la maison, leurs suggestions... et leur satisfaction d'être avec vous.

Faire le point sur son désir profond

Dans l'intimité de la chambre, à l'écart du bruit et de son entourage, il est bon de temps en temps de faire le point sur son désir profond afin de pouvoir changer ce qui ne convient pas et de réaliser ses projets. Essayez d'écouter l'idéal plus ou moins secret qui murmure en vous.

Avant de vous endormir, invitez-vous à vous souvenir des rêves que vous allez faire : ils constituent une matière très riche qui vous inspirera. Préparez de quoi écrire dès votre réveil sans avoir à vous lever pour cela. Vous pourrez ainsi choisir certains éléments et les associer sans interdit. Cela permet de libérer la capacité à se projeter dans un futur différent du présent.

**NOTER SUR SON CAHIER CINQ PETITES JOIES DE LA JOURNÉE
ET LES SAVOURER AVANT DE S'ENDORMIR.**

Quand la journée s'est bien déroulée, l'exercice est facile.

Quand la journée a été stressante ou difficile,

il faut faire un effort supplémentaire pour se remémorer

quelques bons moments. Mais quand on finit par en trouver,

on est heureux des lueurs qu'ils nous apportent

pour glisser paisiblement dans le sommeil.

Rituels bénéfiques pour passer une bonne nuit

Savourer une pomme croquante, boire une tisane, embrasser son enfant, caresser son chien, contempler le ciel et le scintillement des étoiles, admirer la lune, lire quelques pages d'un roman, écouter une musique douce... sont des gestes ou des habitudes qui vous mettent en condition de calme pour vous aider à passer tranquillement de votre journée de travail au sommeil. Faisant office de sas, ils participent à votre détente. Sachez les reconnaître et les répéter aussi souvent que vous le souhaitez, car ils facilitent votre endormissement.

Notez vos petits bonheurs sur cette page

Notez vos petits bonheurs sur cette page

LE WEEK-END

Entre les enfants, le travail, la vie domestique,
les obligations de la vie courante... et autres contraintes
de notre existence du moment, il n'est pas rare,
quand arrive le week-end, de réaliser « avec effroi »
que l'on n'a pas vu passer sa semaine et surtout
que l'on ne s'est pas accordé le moindre temps
de « respiration personnelle ». Il ne s'agit pas
de culpabiliser mais plutôt de se dire que l'on va
y remédier pendant ce court intermède
que nous offre le week-end.

Chez soi

Méditer sur la vie

Voici l'une des méditations que je préfère pour sa simplicité et sa fécondité. Issue du tantrisme (voir p. 178), elle s'adresse à tous.

····⟩ Asseyez-vous sur une chaise en vous tenant bien droit et commencez par relâcher tous vos muscles, y compris ceux du visage. Les paupières légèrement closes, regardez le bout de votre nez sans pour autant loucher afin d'éviter toute tension. Respirez tranquillement, en étant attentif au va-et-vient de votre souffle quand il entre dans vos narines et quand il en sort. Puis déplacez votre attention sur les plantes de pied, les chevilles, les jambes, le tronc, la nuque, la tête, sur les paumes, les bras, les épaules, la nuque à nouveau et l'intérieur de la tête. Ce « balayage du corps » par la pensée a pour but de calmer le mental. Vous sentirez peu à peu que les pensées s'apaisent. On s'émerveille alors d'être tout simplement en vie et de sentir ce souffle de vie qui anime et nourrit son corps.

C'est le bon moment pour prendre conscience que cette vie vous vient de votre mère et d'essayer de vous remémorer le moment le plus heureux que vous ayez vécu avec elle. Peu importe si cela ne vient pas. Il y a plus souvent conflit qu'on ne le croit. Puis essayez de vous souvenir de votre grand-mère et de votre arrière-grand-mère, si vous l'avez connue, et ainsi de suite... Il s'agit de prendre conscience de la lignée ininterrompue et anonyme des mères qui ont transmis le flambeau de la vie jusqu'à vous et de les remercier en ressentant bien cette vague d'amour pour toutes ces mères sans qui vous ne seriez pas là.

Si l'on pouvait aller plus loin, on pourrait ainsi remonter à l'origine de la vie sur cette terre. La vie qui nous habite a traversé des millions d'années et nous ramène à l'origine de la vie sur la Terre... Toutes les expériences de la vie sont incluses dans nos gènes, dans notre vie. Ainsi si mon père n'avait pas rompu ses fiançailles pour épouser ma mère, j'aurais eu un autre destin, si mon grand-père n'était pas rentré de Chine, le cours de ma vie eût été sans doute différent...

On se sent alors porté par la vie, conscient d'appartenir à la lignée de toutes ces mères qui font que l'on est là aujourd'hui et par extension à toute vie sur la planète. On se dit par exemple : « La mouette est ma sœur, mais aussi la fleur... » Cela permet de relativiser ses soucis, ses problèmes et en même temps de s'émerveiller de cette chose formidable qu'est la vie. L'ego s'efface devant cette vérité irrécusable et l'on devient la Vie. Bien présent à cette force invisible mais invincible, on a la sensation que rien ne peut nous déstabiliser et que la Vie est en nous avec tout ce qu'elle a de protection, de puissance et d'harmonie.

Cette immersion dans la Vie peut durer quelques minutes seulement, en tout cas aussi longtemps que vous vous y sentez bien. Dans la journée, elle vous apportera de l'énergie, de la sérénité et si vous la pratiquez le soir lorsque vous vous étendez sur votre lit, votre sommeil sera profond et tranquille.

Écouter le vent, lové dans son fauteuil, avec un bon livre

Comme il est bon de se plonger dans un bon livre, bien au chaud devant la cheminée, dans une maison devenue soudain silencieuse après un déjeuner quelque peu bruyant. Tout le monde s'est envolé à ses occupations, certains même font la sieste. Et moi, je m'installe ici, au calme, dans un fauteuil aux accoudoirs confortables, affalée sur un coussin moelleux, et je me glisse dans un livre.

Je me régale des premières pages, bercée par le crépitement des bûches dans la cheminée et distraite par le vent qui s'infiltre sous les portes. Il a sa façon de pénétrer sous les armoires, les serrures de porte, derrière les rideaux... Pour qui sait lui tendre l'oreille, le vent a décidément une très jolie voix, à large tessiture. Il siffle, chantonne, geint, gronde à ses heures quand il fait claquer portes et volets. Il écrit sa poésie et me berce, m'invitant de plus belle à me laisser aller à ce moment si doux.

La sieste, un mi-temps délicieux pour se reposer sans s'abrutir

« Le sommeil, "le seul luxe gratuit que nous offrent les dieux !" »
PLUTARQUE, ÉCRIVAIN GREC (V. 46/49-V. 125)

« Béni soit celui qui inventa le sommeil ! »
MIGUEL DE CERVANTÈS, ÉCRIVAIN ESPAGNOL (1547-1616), *DON QUICHOTTE*

Le sommeil est un véritable trésor. Il permet de se reposer d'une journée fatigante, tout en se rechargeant en énergie pendant la nuit, et de redémarrer chaque matin une nouvelle vie !

Mais c'est aussi le luxe d'une pause que l'on peut s'offrir au cours de la journée pour reconstituer son énergie et se donner la possibilité d'être plus efficace ensuite. On le sait, la sieste idéale se situe entre 20 et 30 minutes selon les individus. Ce temps de repos correspond à la phase initiale du sommeil dont les effets sont réparateurs sur le plan physique. On se donne la permission d'une parenthèse dans sa journée, et c'est bien plus facile à réaliser qu'on ne le pense. Mais il faut attendre que la digestion ait commencé, car lorsqu'on dort tout de suite après le repas, on peut faire des cauchemars. Voici comment vous relaxer profondément en quelques secondes.

En position allongée sur le dos, les bras et les jambes légèrement écartées et les paumes tournées vers le ciel, commencez par faire une profonde respiration abdominale. Vous inspirez lentement par le nez et vous expirez tout aussi lentement par le nez, deux ou trois fois. Fermez les yeux, et sur la troisième inspiration, suspendez votre respiration en contractant fortement tous vos muscles et en comptant jusqu'à trois. Puis relâchez. Laissez-vous alors envahir par la sensation de pesanteur qui se propage agréablement dans vos membres et respirez tranquillement. Vous pouvez même sombrer dans un sommeil léger. Si vous n'y parvenez pas lors de vos premiers essais, ne vous en inquiétez pas, cela viendra progressivement. Vous pourrez revenir à votre réalité au bout de quelques minutes, en bougeant progressivement vos membres. L'attention portée à votre corps provoque un véritable bien-être physique, psychologique et mental ainsi qu'une douce félicité.

FLÂNER AU LIT
J'aime traîner dans mon lit le samedi ou le dimanche matin pour « rêvasser », lire un article, un poème...

La paresse, idéale pour redécouvrir sa sensualité

C'est dans la solitude que l'on renoue avec la paresse. On ne peut partager la solitude, car sinon on est soumis aux désirs et aux sollicitations des autres. Quel plaisir de se laisser guider par ses envies du moment, d'oublier les contraintes de la semaine.

Seule pour le week-end, le farniente commence au réveil. J'en profite pour traîner au lit, mi-endormie, mi-consciente de ce moment d'indolence. Je deviens attentive à tout ce qui alerte mes sens. Je sens la douceur des draps sur mon corps, la fraîcheur de l'air matinal qui pénètre par la fenêtre entrebâillée, le filet de ciel bleu qui trace des traits irréguliers sur les volets... Mes pensées vagabondent et me transportent dans des situations qui se succèdent sans logique, des corps qui s'enlacent, une vaguelette qui me lèche les pieds, des mains qui caressent ma nuque... Je laisse défiler ces séquences sans les censurer, seulement dans le plaisir de ressentir mon corps alangui, chaud, encore lourd de sommeil. Il m'arrive même de me rendormir quelques minutes !

Ou bien quand la famille grouille autour de moi, je m'enferme dans la salle de bains et je prends tout mon temps pour ma toilette du matin ou du soir. Je ponce mes pieds, les masse, m'occupe de mes mains, me fais les ongles, applique un masque sur mon visage, enduis mon corps d'huile d'amande douce ou de jojoba, prends un bain de siège d'eau froide ou un bain de pieds d'eau salée pour les relaxer après une semaine laborieuse, et je ne réponds à aucune sollicitation. C'est mon plaisir !

Pyjama partie !

Passer son dimanche en robe de chambre, flâner chez soi en pantoufles ou en pyjama, cela vaut bien tous les plaisirs du monde.

FAIRE BRILLER SES CHAUSSURES

Porter des chaussures bien cirées et brillantes est pour moi un réel plaisir.

Chaque matin, lorsque je choisis une paire assortie à ma tenue du jour,

j'apprécie qu'elles soient pimpantes dans leur boîte. C'est pourquoi

je m'applique à les entretenir régulièrement, de préférence le dimanche.

Je les brosse puis les nettoie avec un cirage qui sent bon et ravive

les couleurs. Je les fais briller. Ma fierté est à la hauteur du résultat obtenu !

S'OFFRIR DES FLEURS POUR LE PLAISIR

Chaque dimanche matin, je fais mon marché. Je fais toujours

un crochet par l'étal du fleuriste pour acheter un bouquet de fleurs,

sans raison particulière, juste pour le plaisir de les sentir et de les regarder.

Je ne me lasse pas de voir les rayons du soleil jouer avec les couleurs

des pétales ou du feuillage sur la table basse du salon.

Les joies du « fait-main, fait-maison »

On veut de plus en plus aujourd'hui lutter contre l'uniformisation ambiante en faisant des choses par soi-même au lieu de les acheter. Et l'on retrouve ainsi le plaisir de cuisiner à l'ancienne – sans faire appel aux plats tout prêts –, de se confectionner une robe, de tricoter une écharpe, de fabriquer ses bijoux ou une table basse ou de bricoler... Il y a tant de plaisir à dénicher les ingrédients nécessaires pour fabriquer sa propre crème de soin entièrement naturelle, ou à chercher un tissu fleuri, un coloris original pour réaliser un sac... On va pouvoir y ajouter sa touche personnelle de créativité, tout en résistant aux produits standard faits pour tout le monde !

C'est un bon moyen de calmer son impatience et de donner le meilleur de soi-même. Nous serons ainsi tout occupé à réaliser une œuvre unique qui sollicite au maximum nos talents. Dans la vie professionnelle, on participe souvent à des projets collectifs et l'on peut se sentir frustré de ne pouvoir faire quelque chose de ses mains ou en tout cas plus personnel. Aussi, se lancer dans une création maison, quelle qu'elle soit, est source de satisfaction et de reconnaissance quand notre entourage nous complimente.

DORMIR DANS DES DRAPS TOUT PROPRES

Chaque week-end, je change les draps de la maisonnée.
Il est si bon de se glisser dans des draps tout propres
qui sentent le frais et aussi la lavande que je mets
en sachet dans mon linge et qui répand
son délicat parfum dans mon armoire.

AMÉLIORER SON ESPACE

Je profite parfois du week-end pour décorer ma maison
ou changer un meuble de place. Outre l'amusement
qui préside à ces petits changements, j'aime la sensation
qui en découle. Un mélange de satisfaction et de renouveau
pour un espace qu'il va falloir se réapproprier.

DU SON OU DES IMAGES POUR S'ÉVADER

Je me plais à écouter une chanson qui me donne
la chair de poule. Je prends aussi plaisir à regarder
un film d'amour ou une comédie plutôt
qu'un film violent ou un policier.

VOYAGER SUR PLACE

Ou l'art de faire un ou deux pas à droite,
à gauche, en avant ou en arrière
et de reconsidérer autrement
les choses de sa vie...

**RANGER SA BIBLIOTHÈQUE ET RETROUVER UNE PHOTO
OU UNE LETTRE ATTENDRISSANTE**

Une enveloppe s'échappe d'un livre... Je reconnais l'écriture de Géraldine,
ma fille aînée, et je relis avec délices ces quelques mots :
« Ceci est un bon pour un très beau cadeau ! J'attends qu'on soit toutes
les deux tranquilles pour se balader dans Paris et choisir un cadeau
qui te plaise vraiment. Je n'avais pas envie de t'offrir n'importe quoi
sous prétexte que c'est Noël. Alors tu devras attendre un petit peu
mais j'espère et je suis sûre que tu ne le regretteras pas ! »

- Se réveiller au petit matin et se rendormir en se disant
  qu'on a encore une heure à dormir
- Manger la galette au coin du feu
- Faire le ménage à fond
- Décorer son salon
- Surfer sur Internet
- Regarder la télé et l'éteindre
- Aider son enfant à faire une rédaction
- Jouer du piano
- Éteindre toutes les lumières artificielles et allumer une bougie...

Ailleurs

Ces merveilleuses minutes qui précèdent la fin d'un footing et celles qui suivent !

Seuls les gens qui n'ont jamais couru ignorent combien cela est agréable. Le footing présente l'avantage d'être accessible à tous et ne nécessite qu'une bonne paire de chaussures. Choisissez un endroit agréable pour courir. À la campagne, optez pour le calme et la fraîcheur des sous-bois et, en ville, cherchez un jardin pour courir dans le calme. Vous éprouverez des sensations agréables à la condition de courir à votre rythme. Humez l'air, respirez profondément, démarrez lentement puis courez sans forcer, à allure modérée et sans chercher à accélérer. L'idéal est de pouvoir parler en courant : c'est l'« allure conversation », qui fait travailler le cœur sans excès, développe l'endurance... et fait fondre les kilos superflus. Dans ces conditions, le footing devient vite une activité très agréable qui donne envie de recommencer !

Vous ne pouvez pas vous imaginer le bien-être physique et psychologique qu'apporte la pratique de ce sport, à raison d'une séance d'au moins 20 minutes le week-end et de deux séances par semaine en vacances.

Je cours régulièrement dans le bois de Vincennes, seule, en famille ou avec une amie. À plusieurs, c'est très stimulant, surtout en cas de découragement, ou pour augmenter son temps de course et bavarder...

Dès que j'aperçois au loin les barques se balancer sur le lac Daumesnil, je sais qu'il ne me reste plus que quelques minutes à courir. Je jubile et redouble d'énergie pour terminer ma course. Je me fixe souvent la barrière comme ultime étape de ce long footing matinal. Je m'arrête alors et m'appuie sur la barrière afin de m'étirer. Courir dans les bois, c'est non seulement faire travailler son corps, mais c'est aussi se libérer du stress et voir le côté positif de la vie. À ce moment précis, je ressens une immense gratitude pour la vie et le monde dans lequel je me trouve. Je ne peux que vous encourager à vous lancer ou à continuer à courir pour profiter de cette agréable sensation ! Plaisir également de voir défiler les saisons en contemplant les paysages, les couleurs qui ornent les arbres de pourpre, de vert, de jaune, les odeurs de sous-bois, les chants d'oiseaux... et de se sentir en harmonie avec la nature.

ÊTRE CONVIÉE À UN DÎNER PAR DES AMIS
ET RENCONTRER DE NOUVELLES PERSONNES
J'aime me retrouver dans une ambiance amicale
autour d'un bon repas, rencontrer de nouvelles têtes
et découvrir au fil de la conversation leurs passions,
leurs vécus, leurs récits ou tout simplement
leur humour ou leur gentillesse.
Tout cela m'intéresse, m'amuse et me fait du bien.

Consommer « gratuit »

Cette consommation « gratuite » n'est pas uniquement réservée aux plus démunis, c'est avant tout une façon de sortir des sentiers battus, une philosophie de vie qui consiste à vivre en se disant que l'achat ne fait pas le bonheur ! Cette démarche implique une grande curiosité et une aptitude à se laisser surprendre par des événements qui sans cela nous échapperaient. Comme participer à des conférences non payantes et néanmoins de grande qualité dans de nombreuses grandes villes, ou visiter certaines expositions que des institutions publiques proposent gratuitement... Il est également possible de participer à certains jeux et de gagner quelque chose ! Si vous vous prêtez sans a priori à cette aventure du « gratuit », vous découvrirez quelques trésors que vous apprécierez d'autant plus que vous n'aurez pas eu à les « acheter » !

Rien ne se perd, tout se transforme

Dans une brocante ou dans un vide-grenier, j'aime chiner de vieux objets, de la porcelaines, et dénicher une superbe cuillère ancienne, un joli vase en cristal, un livre original ou une belle chemise... Je me lève de bonne heure et je pars à la recherche de la bonne affaire.

C'est excitant de chiner et de négocier pour le plaisir des objets d'occasion. Et selon le proverbe « La poubelle de l'un peut faire le trésor de l'autre », on peut y trouver de belles choses moins chères qu'ailleurs.

Pousser la porte d'une galerie d'art

Inutile de connaître la peinture, la sculpture ou l'artiste qui expose pour entrer dans une galerie d'art. Aucune explication ou justification intellectuelle ne doit prendre le pas sur le plaisir de découvrir une œuvre. Face à un tableau qui vous plaît ou qui vous choque, approchez-vous et prenez votre temps pour le regarder et ressentir, sans vouloir intellectualiser les choses. On peut aimer une œuvre que l'on ne comprend pas, juste pour les couleurs, les formes, le sujet... Laissez-vous seulement porter par la symphonie des traits et par votre sensibilité. Vous verrez, le plaisir sera immense...

De même, lorsqu'on regarde longuement un tableau dans un musée, on se sent hors du temps, dans le silence et la beauté d'un lieu où notre imagination a le droit de vagabonder à sa guise.

BADINER À LA TERRASSE D'UN CAFÉ

Chaque fois que je m'installe à la terrasse d'un café,

avec mes filles, avec un ou une amie, avec mon amour,

j'ai l'impression d'être en vacances.

C'est un peu comme si soudain j'étais transportée

dans un autre contexte. Plaisir de converser,

de regarder autour de soi, de profiter d'un rayon de soleil

et de partager un moment agréable ensemble...

Se promener sur un chemin de campagne sous une pluie battante

Sans parapluie, on se délecte du plaisir d'être lavé à grandes eaux. On hume l'odeur des arbres, des plantes, des champignons ; on sent le picotement et le parfum de la pluie sur son visage. On redécouvre des sensations simples que nos aïeuls éprouvaient autrefois quand ils vivaient à la campagne.

UNE PETITE GORGÉE DE VIN CHAUD À LA CANNELLE DANS UN RESTAURANT D'ALTITUDE

Après une bonne matinée de ski, il est bon de se retrouver

entre amis dans une auberge installée au sommet des pistes enneigées.

On s'installe dans la salle à manger au coin de feu

ou dans un transat sur la terrasse quand le temps le permet.

Et l'on déguste un vin chaud à la cannelle qui réchauffe le corps et le cœur.

GRIMPER SUR UN ARBRE POUR VOIR L'HORIZON

On prend de la hauteur sur ce qui nous entoure, on voit plus loin.

Ce nouveau point de vue modifie nos perceptions immédiates

et nous fait voir les choses d'une autre façon...

- Déjeuner sur l'herbe
- Acheter ses fruits et légumes sur un marché, le dimanche matin
- Chanter dans un groupe, ça fait planer
- Savourer une coupe de champagne dans le bar d'un palace
- Aller voir une expo
- Faire ses courses à pied
- Écouter un trompettiste dans la rue
- Faire du lèche-vitrines
- Se promener avec un œil neuf dans son quartier
- Dégoter un nouveau lieu dans sa ville...

Notez vos petits bonheurs sur cette page

Notez vos petits bonheurs sur cette page

Notez vos petits bonheurs sur cette page

EN VACANCES

Le soleil et la mer

Y a-t-il plus plaisant que marcher sur le sable fin d'une grande plage de bon matin et croiser çà et là des mouettes, des enfants courant après leur cerf-volant ou leur ballon et des sportifs faisant leur footing ou marchant d'un pas vif ? Je traverse l'immensité et je mets mes pieds dans l'eau un peu fraîche. En cet instant où les premiers rayons de soleil me réchauffent le visage, je regarde l'horizon tout bleu et me plais à penser que la vie est remplie de mystères. Je me demande où vont ces bateaux qui sillonnent la mer au loin et quels voyageurs ils transportent. Je m'évade dans de lointaines contrées, d'où j'imagine qu'ils viennent ou vers lesquelles ils voguent. Je marche dans l'eau en m'imaginant tour à tour chinoise, canadienne, aventurière au long cours, navigatrice ou en partance pour une croisière romantique sur un rutilant navire... dans un doux délire d'inventions et de sensations !

Se contenter de peu

Tout autour de nous est source d'étonnement et d'émerveillement, il suffit d'ouvrir les yeux, de dresser l'oreille et de vivre à pleine peau !

Fascinant, le cortège des fourmis qui se suivent à la « queue leu leu » en direction d'un morceau de pain que de nouvelles arrivantes font grossir à toute allure… Leurs allées et venues incessantes ressemblent à un ballet endiablé qui révèle peu à peu une organisation extrêmement bien rodée où chacune joue son rôle. On peut se passionner pour ce spectacle pendant un long moment, surtout si l'on décide de suivre le parcours d'une fourmi que l'on a élue pour la circonstance !

Relaxant, le ronronnement d'un chat au soleil, aplati sur le carrelage frais de la cuisine, les deux pattes avant posées sur son nez, les deux autres repliées sous son ventre. Il est là immobile, tranquille, parfois traversé par de légers soubresauts qui ne durent que quelques secondes avant de retomber dans cet abandon heureux qui nous fait envie. Oui, on aimerait être à sa place, aussi béat et détendu que lui. Pourquoi ne pas l'imiter après tout ?

Enchanteur, le chant des grillons évoquant la garrigue chaude et les odeurs parfumées de Provence. Allongé dans un hamac tendu entre deux pins parasols, à l'ombre de leurs branches robustes, les yeux fermés et le corps à l'unisson de cette mélodie, on se laisse alors gagner par une douce paresse. Leur musique monocorde efface peu à peu tous les autres bruits et nous berce agréablement. Crr crr crr ! Leur chant devient alors le plus poétique du monde.

Sensuels, les doigts de pied qui s'enfoncent dans le sable mouillé, la plante de pied qui s'étale de tout son long et les chevilles massées par le flux et le reflux des vagues. La brise enveloppe tout le corps et le pousse en avant. Même si le soleil n'est pas au rendez-vous, le plaisir est intense quand le corps devient océan, iode, énergie…

Euphorie après un effort extrême

Au prix d'efforts extrêmes, d'entraînement intensif ou d'une très grande concentration qui nous forcent à donner le maximum, on atteint un sommet, on remonte le courant d'un torrent, on saute en parachute ou on termine un travail très difficile… On atteint un niveau de conscience où l'on devient totalement absorbé par ce que l'on fait. C'est cet instant parfait où tout semble s'arrêter, notre activité absorbe toutes nos pensées, tous nos gestes, nous emmène dans une autre réalité. On aimerait prendre dans ses bras tout le monde !

Le professeur Csikszentmihalyi, psychologue hongrois, appelle ce phénomène « courant d'euphorie ». Il est présent chez ceux qui alternent des phases de forte concentration et de détente et chez ceux qui font des efforts extrêmes. Cet état de grâce n'est pas seulement l'apanage d'une élite mais couronne toute activité que nous aurons choisie, qu'il s'agisse d'un passe-temps prise de tête comme un jeu d'échecs, de l'exécution d'une arabesque ou de la préparation d'un plat exotique ! On éprouve alors une formidable sensation de légèreté et l'immense satisfaction d'avoir accompli une prouesse.

Doux farniente

Le farniente, si important au XIXe siècle, permet de ressentir cette vacuité des heures qui s'écoulent lentement. Dans cette phase où le corps s'abandonne et l'esprit se détend, on se met à l'écart du brouhaha extérieur et on se plonge dans la douceur de vivre. Cela m'évoque la vie sur les paquebots au début du XXe siècle, et tout particulièrement à bord de ceux qui faisaient la traversée de l'Atlantique dans ce mélange de temps suspendu, d'océan à perte de vue, de raffinement, d'amusements, d'ennui aussi. Le contexte était propice au flirt. Les riches Américaines de l'époque laissaient, en effet, éclore en toute liberté leurs sensations et leurs émotions. Elles se donnaient la permission de vivre un moment pour elle et de succomber à l'aventure amoureuse pendant la traversée.

> **M'allonger sur la plage à la lisière de l'eau**
> Sur une plage de l'océan, me rouler sur le sable à la pointe du flux et du reflux et me faire masser par les vagues, j'adore !...

Apprendre à tout âge

Sommes-nous capables d'apprendre à jouer d'un instrument à quarante ans, d'apprendre le chinois alors que nous avons quitté les bancs scolaires depuis longtemps ou de nous remettre au tennis... ? Les doutes nous font hésiter à nous lancer dans ce désir d'apprendre plus que légitime. Car on aurait tort de croire que l'apprentissage est le privilège de la jeunesse. Même si la démarche ne nous semble pas aller de soi, notre cerveau dispose de ressources suffisantes pour développer nos connaissances jusqu'à un âge très avancé. De nombreuses études et témoignages l'attestent. J'ai ainsi récemment entendu à la radio le témoignage d'un avocat qui affirmait : « À soixante ans, j'ai repris mes études de droit. À soixante-sept, j'ouvrais mon cabinet ! » Acquérir de nouvelles connaissances ou entreprendre de nouvelles activités, c'est possible.

C'est aussi retrouver cette part d'enfant qui est en nous et qui ne demande qu'à s'exprimer. L'excitation qu'elle nous procure stimule notre cerveau, nous éloigne momentanément de nos soucis et de nos responsabilités et nous rend heureux !

S'égarer, une découverte

En randonnée, malgré les cartes, la boussole, je me suis parfois perdue. Avec mon sens de l'orientation très sommaire, quelques indications données par des gens que l'on croisait, la position du soleil, quelques repères dans le paysage, je finissais par retrouver mon chemin, non sans peur. Il arrive d'ailleurs que le dépit, la rage ou la colère laissent place à la joie de découvrir un paysage de rêve, un oiseau au plumage magnifique que l'on n'aurait jamais vus sans ça, de croiser sur son chemin une auberge charmante fleurant bon le chocolat chaud et la tarte aux myrtilles ou encore de rencontrer un personnage singulier qui marquera notre aventure. De même, la vie ne ressemble jamais à ce qu'on imagine. Se perdre, c'est l'opportunité de faire l'expérience de l'inattendu et de trouver les ressources et la clef de nouvelles voies pour soi.

Voyager léger

Partir en vacances en moto, c'est faire l'expérience d'un périple sportif soumis aux aléas du climat. Il faut tout prévoir et bien se protéger de la pluie, du vent, du soleil et du froid. L'aisance et la vitesse de l'engin procurent un sentiment de grande liberté. Mais c'est aussi apprendre à voyager léger. L'été dernier, je suis partie pour trois semaines avec cinq kilogrammes de bagages, ce qui m'aurait semblé dans d'autres circonstances impensable, même pour un week-end. J'avais plutôt l'habitude de voyager avec de grosses valises. Il m'a fallu caser dans une malle minuscule l'indispensable pour la plage et la montagne : tee-shirts, chaussures, pantalons, maillots de bain, lainages et trousses de toilette, appareil de photo...

Bien plus qu'une contrainte, me contenter de si peu de bagages fut en réalité une source d'excitation fort plaisante. J'ai préparé mes bagages en pensant à l'utilité de chaque chose, me débarrassant ainsi de tout le superflu. J'étais tout simplement heureuse de me sentir si légère et de ne manquer de rien !

> **APPRENDRE PAR CŒUR LE NOM DES FLEURS DE MONTAGNE**
>
> Lorsque je pratiquais régulièrement la randonnée en montagne
> il y a quelques années – je vous conseille d'ailleurs le périple d'une semaine
> qui mène à Saint-Véran, le village le plus haut d'Europe –, je prenais
> un immense plaisir à observer les fleurs de montagne, à les sentir, à les admirer.
> J'avais fait alors l'acquisition d'un livre pour les reconnaître,
> et mon grand plaisir était de chercher leurs noms et de les retenir !

Se faire une liste de petits plaisirs

Nos petits plaisirs évoluent au fil des années. Même si l'exercice nous semble simpliste, il est bon de le faire de temps en temps pour les apprécier encore plus. La période des vacances est idéale pour établir ce type de bilan positif ! On va lister ceux que l'on pratique le plus, mais on va aussi s'autoriser à noter ceux que l'on n'ose pas toujours pratiquer. L'avantage de l'écrire nous conduit à y réfléchir plus précisément, à retrouver des sensations agréables, à nous entraîner au plaisir de vivre ces moments-là et à les développer. Il est également amusant de proposer à son entourage de faire la même chose et de comparer ses trouvailles. C'est très stimulant et cela donne des idées !

Qi gong
en pleine nature

····⟩ Le qi gong est un véritable art de vivre que pratiquent quotidiennement plus de 100 millions de Chinois. Cette gymnastique énergétique chinoise utilise les énergies de la nature pour nourrir la nôtre. On peut donc profiter de ses vacances pour faire le plein de vitalité, trop souvent entamée par nos vies trépidantes, et éliminer toutes les tensions accumulées au cours de l'année écoulée qui empêchent la bonne circulation de l'énergie vitale.

····⟩ Le qi gong permet les échanges entre l'extérieur, l'univers et soi-même. Il nous aide à mieux nous adapter à notre environnement ainsi qu'à mieux communiquer avec les éléments de la nature, la mer, l'air, le soleil, le vent, les arbres...

····⟩ On capte l'énergie de la terre. Les pieds bien ancrés dans le sol, on se connecte à notre centre de gravité situé au niveau du nombril. On capte aussi l'énergie du ciel, c'est-à-dire l'invisible, l'énergie de chaque élément de la nature, de chaque personne, d'un chant, d'une danse, ce qui favorise le développement de notre sensibilité. On est là, attentif au présent et en éveil.

DEUX EXERCICES À PRATIQUER
DANS VOTRE ENVIRONNEMENT PRÉFÉRÉ :

À l'aube, dès les premières minutes du lever du soleil
Le soleil n'étant pas fort à ce moment-là, on peut le fixer plus facilement.
Ce moment de la journée est très yang, c'est-à-dire porteur d'énergie.
····⟩ Placez-vous face au soleil
····⟩ Debout, les jambes écartées de la largeur des hanches,
montez les bras au-dessus de votre tête, les paumes tournées vers le soleil.
La tête légèrement penchée en arrière, regardez le soleil.

···⟩ Fixez-le et laissez-le entrer dans votre corps par les yeux jusqu'au bas du ventre. Sentez bien l'énergie du soleil pénétrer dans votre corps.

···⟩ Si vous êtes une femme, imaginez que le soleil se place au centre de votre poitrine et, si vous êtes un homme, qu'il vient sur l'abdomen, dans la partie se situant sous le nombril.

···⟩ Sentez bien la puissance de l'énergie du soleil imprégner votre corps et l'interpénétration du soleil extérieur et interne. Cet exercice est très revitalisant.

Le soir au coucher du soleil

···⟩ Asseyez-vous, face au soleil, en imaginant qu'un fil relie le sommet de votre tête à la lune, douce et fraîche :

···⟩ Fermez les yeux et imaginez que la lune est si proche de vous que vous pouvez la toucher.

···⟩ Puis aspirez par la bouche et imaginez que la lune a la taille d'une petite balle. Absorbez-la par le sommet de la tête et faites-la descendre par la colonne vertébrale jusqu'au bas-ventre.

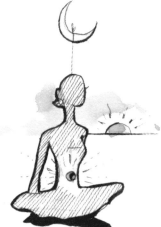

···⟩ La chaleur de votre ventre la réchauffe et la fait rougir.

···⟩ Restez en osmose avec la lune dans votre abdomen.

···⟩ Puis laissez se répandre votre énergie dans tout le corps.

On peut se ressourcer avec l'énergie de tous les éléments de la nature : la mer, un arbre, une cascade, un lac, une montagne, une étoile... Plus votre affinité est forte avec l'un de ces éléments, plus l'effet régénérant ou réconfortant sera important pour vous.

MONTER DANS L'AVION

POUR UNE DESTINATION LOINTAINE

Franchir la passerelle d'un avion, m'installer

sur mon siège, ranger mes effets dans le porte-bagages,

observer autour de moi le va-et-vient

des passagers et des hôtesses, mettre ma ceinture

et me sentir déjà dans l'ambiance du voyage...

Fermer les yeux pour vivifier ses sens

Les vacances se prêtent à la découverte de nos sens que l'on maltraite parfois ou que l'on néglige. On peut s'amuser en fermant les yeux à bien savourer le goût d'un jus de fruits frais, à sentir l'odeur d'une fleur, d'une herbe aromatique, à écouter de la musique, à faire un exercice de respiration ou un mouvement d'étirement... L'absence de distraction visuelle nous conduit à une meilleure concentration et à une finesse de perception fort agréable.

- Admirer un arc-en-ciel
- Fabriquer une cabane dans les bois
- Crier dans la forêt
- S'adosser à un arbre et s'imprégner de son énergie
- Apprendre une langue étrangère
- Jouer aux cartes avec des amis
- Se baigner quand il pleut, tout habillé
- Recopier un poème de Rimbaud et l'apprendre par cœur
- Faire un herbier
- Inventer des recettes de cuisine
- Se lancer un défi
- Se promener dans une gare, un aéroport
- Définir ce que l'on veut être et vivre d'ici un an, cinq ans
- Faire la liste de ce que l'on aime et de ce que l'on déteste puis faire un tri !
- Écrire quelles seraient nos vacances les plus merveilleuses
- S'émerveiller du présent et rêver l'avenir...

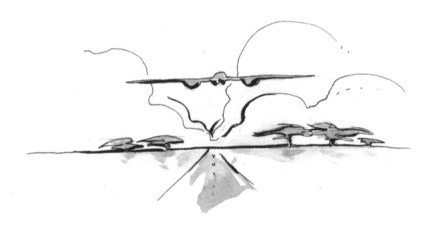

Notez vos petits bonheurs sur cette page

Notez vos petits bonheurs sur cette page

Notez vos petits bonheurs sur cette page

_____
_____
_____
_____
_____
_____
_____
_____
_____
_____
_____
_____
_____
_____
_____
_____
_____
_____
_____
_____
_____
_____
_____
_____
_____
_____
_____
_____
_____
_____

LES SAISONS

« Si je pouvais vivre une nouvelle fois ma vie Tout d'abord, j'essaierais de com-
mettre plus d'erreurs. Je n'essaierais pas d'être si parfait. Je me relaxerais
plus. Je serais plus fou que ce que j'ai été. Je prendrais très peu de choses au
sérieux. Je serais moins hygiénique. Je courrais plus de risques, je ferais plus
de voyages... »

Je contemplerais plus souvent les couchers de soleil, je gravirais plus de mon-
tagnes, je nagerais dans plus de rivières. J'aurais plus de vrais problèmes et
moins d'imaginaires. Je fus une de ces personnes qui vécut avec bon sens et
pleinement chaque minute de sa vie. C'est vrai que j'ai eu des moments de joie.

Mais si je pouvais revenir en arrière, j'essaierais d'avoir seulement de bons
moments. Car si vous ne le savez pas, c'est de cela qu'est faite la vie. Ne gâchez
pas le moment présent. J'étais un de ceux-là qui ne se promenaient jamais sans
un thermomètre, une gourde d'eau chaude, un parapluie et un parachute.

Si je pouvais revivre, je voyagerais plus léger.

Si je pouvais revivre, je commencerais par marcher pieds nus au début du prin-
temps et je continuerais ainsi jusqu'à la fin de l'automne,

Je ferais plus de tours en calèche, contemplerais plus de levers de soleil et jouerais
avec plus d'enfants.

Si j'avais une autre fois la vie devant moi,
Mais, j'ai déjà quatre-vingt-cinq ans et je sais que je vais mourir. »

Jorge Luis Borges, écrivain argentin (1899-1986)

J'ai découvert ce texte de Jorge Luis Borges, écrivain argentin (1899-1986), lors d'un voyage au Chili, alors que je déjeunais dans un restaurant de Santiago. Il était tout simplement inscrit sur mon set de table ! Cette circonstance insolite est en soi un petit bonheur et les propos de Borges un magnifique hymne à la vie.

Les saisons de la vie

Un adage chinois dit à peu près ceci : « *La vie est dans l'année et ce n'est pas l'année qui est dans la vie.* » Il nous invite à cultiver le même amour de la vie au fil de nos saisons, sans vouloir garder à tout prix la jeunesse. Décider de vivre chaque journée avec entrain et bonne humeur reste le meilleur élixir de jouvence, car on trouve l'épanouissement. N'est-ce pas la meilleure façon de prendre soin de soi et d'oublier ses rides ? À l'inverse, si l'on s'en préoccupe trop, on ne pourra que constater les avancées inéluctables du vieillissement et notre impuissance à les arrêter. Cela aura pour conséquence de gâcher nos journées au fur et à mesure que l'on avance en âge. Car le charme existe dans toutes les saisons : le printemps n'est pas mieux que l'hiver, il prépare l'été ; l'automne lui doit ses couleurs chatoyantes. Chaque saison provient de la précédente et prépare la suivante. Tout est lié. Partant de ce postulat, nous saurons jouir de chacune de nos journées.

Nos meilleures années ne sont pas forcément nos jeunes années

Le temps paraît très lent pendant la jeunesse. L'avenir est devant soi, il paraît même lointain. Les rêves, les chimères, les espoirs ajoutent de la profondeur au champ de la vie. Et les souvenirs qui s'attachent à cette période nous semblent en général plus nombreux et marquants que dans les saisons suivantes.

A contrario, les personnes âgées, lorsqu'elles considèrent la vie qu'elles ont derrière elles, la trouvent très courte. Leur mémoire s'est ainsi chargée d'effacer les choses désagréables et de peu d'importance pour ne conserver que les *bons moments*, en particulier liés à leurs jeunes années, comme si cette période était la seule qui leur semblait digne d'être gardée en mémoire. De bons moments ont pourtant jalonné toutes les phases de leur existence. Fallait-il seulement en avoir conscience, les apprécier à leur juste valeur quand ils étaient là, et les chérir pleinement. Jorge Luis Borges, dans le poème ci-contre écrit au seuil de sa vie, témoigne ainsi du regret de n'avoir pas assez savouré ces petits moments de bonheur tout simples. De même que chaque saison est le produit de la précédente, chaque petit bonheur – si on lui porte la plus grande attention – se transforme pour en fabriquer un autre, lequel va à son tour en produire de nouveaux dans un processus de multiplication qui va se développer au fil des jours. En fin de vie, notre mémoire sera donc pleine de ces bons moments qui auront participé à notre félicité quotidienne.

Prendre soin de soi plutôt que vouloir rajeunir

« La jeunesse est, pour nous, synonyme de bonheur,
et il faut donc consommer de la jeunesse à défaut d'être jeune...
Le bonheur se vit comme l'invention de soi dans une éternelle jeunesse. »

MICHEL FAUCHEUX, *HISTOIRE DU BONHEUR*

De nos jours, le corps, plus que tout autre objet de consommation, est sacrifié à cette obsession de la beauté et du jeunisme à tout prix et doit correspondre aux critères proposés par les magazines : un corps de rêve, svelte, longiligne, sans ride, sans cellulite... en un mot, un corps jeune !

Le bonheur n'est pourtant pas synonyme de jeunesse. Vouloir ressembler à un top-model, suivre à la lettre les conseils des magazines pour « rester jeune » ou se plier à une mode vestimentaire résolument adolescente, c'est se soumettre à la dictature de la beauté telle que la société de consommation nous l'impose, en vérité très éloignée de notre réalité !

Les rides, les rondeurs, les hanches larges, les cheveux grisonnants... tous ces « petits défauts » sont des particularités qui nous caractérisent et qui ne doivent pas nous empêcher d'être heureux. L'important, c'est de prendre soin de sa santé, d'avoir une hygiène de vie, de savoir utiliser ses ressources et de s'accepter ainsi. Vouloir rester jeune à tout prix épuise et suscite une grande anxiété, car cela demande des efforts ou des solutions de plus en plus difficiles pour ressembler à ces images, souvent tronquées, exhibées dans la publicité ou les médias.

Prenons plutôt du plaisir à être ce que nous sommes, en dehors de tout modèle imposé. Acceptons ces petits signes de notre avancée en âge, et réjouissons-nous de ce que nous avons en nous de mieux en le cultivant au fil des jours ! Quelques rides d'expression dans un visage qui s'adoucit est bien plus émouvant et séduisant qu'un visage qui vieillit sans rides et sans expression !

CROISER UNE VIEILLE DAME, BAVARDER AVEC ELLE ET SE DIRE QU'ELLE A EU AUSSI VINGT ANS...

J'ai pris récemment l'ascenseur avec une dame nonagénaire au regard bleu marine, très vif. Nous conversons quelques instants, le temps d'arriver à son étage.

En quelques mots, elle m'apprend qu'elle est seule, qu'elle a perdu son mari et quitté la ville dans laquelle elle a passé plus de quarante ans avec lui. Elle me dit combien sa vie était heureuse avec lui. Et malgré sa tristesse, elle sourit.

Sous son chignon argenté, son visage laisse transparaître un mélange de douceur et d'éclat rappelant la jeune femme enjouée qu'elle me dit avoir été. Cela m'émeut. Je lui propose alors de venir prendre un café à la maison.

Elle accepte avec joie, les yeux embués de larmes. Cette courte rencontre, par sa densité et l'émotion partagée, a illuminé ma journée.

On est plus vieux qu'hier et plus jeune que demain

La conscience que les journées s'ajoutent les unes aux autres et que l'on vieillit un peu chaque jour donne de la valeur à ce que l'on vit. On est plus vieux qu'hier et plus jeune que demain et pas le contraire. Rien ne sert de nier la réalité que notre société refuse en prônant le jeunisme comme valeur essentielle. Il est bon de prendre soin de soi et de tout faire pour vieillir le mieux possible. Mais vouloir rajeunir désacralise le temps et nie cette avancée inéluctable vers la vieillesse.

Les saisons de l'année

Le printemps

Premiers jours du printemps
Passant le ruisseau à gué
Un héron solitaire
Hекigôdo, Haïku

Les nettoyages de printemps

Tous les ans, avant Pâques, le grand nettoyage de printemps s'impose. Cette tradition remonte à nos aïeules. Il faut respecter ce rendez-vous avec la propreté et jeter sans hésiter – ou de préférence donner – ce qui encombre, même si vous vous débarrassez de choses qui peuvent vous manquer ensuite ! Ce fameux « au cas où » nous fait conserver une quantité invraisemblable d'objets inutiles. Veillez à ce que vos portes s'ouvrent complètement. De même, dégagez votre entrée et libérez vos couloirs de toute entrave, car ceux-ci constituent les artères de votre maison. Ces précautions permettent à l'énergie de la maison – et par voie de conséquence à la vôtre – de circuler. Vous verrez ainsi les choses avec plus de légèreté.

Battez vos tapis, ravivez leurs couleurs en utilisant par exemple des feuilles de thé encore humides, comme le faisaient nos grand-mères. Puis brossez et passez l'aspirateur. Nettoyez à fond tous vos sols. Dépoussiérez corniches, plinthes, murs, rebords de portes, le dessus des placards et des armoires... N'hésitez pas à nettoyer chaque tuyau et petit recoin de la maison.

Revoyez vos matelas, recousez par exemple les boutons qui manquent, enlevez les taches, aérez-les, brossez-les, retournez-les...

Faites de même avec vos vêtements, vos chaussures, vos accessoires et le linge de maison. S'ils sont déchirés, recousez-les, s'ils sont vétustes, donnez-les ou transformez-les en chiffon et si vous ne les utilisez plus depuis deux ou trois ans, débarrassez-vous-en !

Il ne s'agit pas de faire ce grand nettoyage en une seule fois. Fixez-vous un objectif atteignable, de façon à ne pas transformer ce travail en corvée insoutenable. Par exemple, commencez par une pièce et savourez les bienfaits de cette première transformation. Cela vous encouragera pour les suivantes !

Passer en revue sa garde-robe

Placards, armoires et tiroirs remplis à ras bord ne permettent pas toujours de rassembler au même endroit les vêtements d'été et d'hiver. Cet inconvénient a comme avantage de nous obliger à faire le tri de notre garde-robe à chaque grand changement de saison. Ranger, trier est idéal pour alléger les rayons et nous libérer de ces objets qui encombrent notre espace. Certaines personnes gardent des vêtements pendant vingt ans sous prétexte qu'ils reviendront à la mode ou bien conservent des vêtements trop petits qu'elles ont l'intention de porter quand elles auront maigri ! Sachez que ces vêtements encombrent vos armoires et votre esprit car ils vous rappellent des périodes révolues ou une situation pour l'instant inatteignable. Débarrassez-vous-en et conservez ou allez vous acheter des vêtements qui vous vont bien maintenant.

J'aime ranger au début du printemps et de l'automne les vêtements de la saison écoulée et les remplacer par les nouveaux. J'en profite pour me débarrasser de ceux que je ne porte plus depuis deux ou trois ans. Ils feront plaisir à mon entourage ou à des associations caritatives. Parfois, grâce à l'œil neuf d'une amie ou d'un proche, je peux entrevoir de nouvelles combinaisons astucieuses qui démultiplieront le potentiel de ma garde-robe. Une fois ce rangement effectué, je lorgne avec une réelle satisfaction toutes les piles de vêtements bien alignées par fonction et par couleur, les pantalons, jupes et tailleurs sagement regroupés et suspendus dans leur nouvel espace, plus aéré. Un véritable renouveau.

Le jardinage ou le plaisir de vivre plus sainement

Quelle satisfaction de pouvoir cultiver ses propres fruits, légumes et herbes aromatiques et de les déguster ! Outre les effets bénéfiques d'une nourriture plus saine, ces petits gestes hebdomadaires, ou quotidiens parfois, entraînent une grande détente. En effet, quand on jardine, on revient aux plaisirs simples de la terre vivante, on s'évade, on ne pense plus à ses soucis du moment. C'est aussi une activité physique complète car l'on fait travailler ses articulations et ses muscles, tout en perdant éventuellement quelques kilos superflus.

L'été

Les yeux des chats
Devenus des aiguilles
Quelle chaleur !
Haïku, Bashô

Hello, le soleil brille, brille, brille !

Il se lève chaque matin et décline chaque soir. Quand les nuages ne le cachent pas, il réchauffe, il brille et éblouit parfois. Il rend gai et joyeux. Il ravive les couleurs d'un arbre, d'une fleur, d'une façade grisâtre... Il dore la peau, fait scintiller les cheveux, fortifie les os. Il rayonne comme un cœur généreux et donne à l'existence lumière et chaleur. Un vrai bonheur !

Petits jardins suspendus

Autrefois, c'est au deuxième étage que se trouvaient les plus beaux appartements. Ils disposaient d'un ou de plusieurs petits balcons qui couraient sur la façade. À la fin du XIXe siècle, avec l'arrivée de l'ascenseur, la hiérarchie des immeubles a été complètement changée. Les terrasses et les balcons du dernier étage devinrent les nouveaux lieux de vie convoités par les plus riches. Un perchoir d'où l'on voit loin, d'où l'on touche le ciel et dans lequel on cultive son jardin.

Nul n'est besoin d'avoir une terrasse ou de toucher le ciel pour créer son jardin suspendu. Un rebord de fenêtre, un balcon font l'affaire si l'on veut planter, bêcher, gratter la terre, arroser, tailler... et jouir des fruits récoltés. Car entre le béton, la pollution, le bruit et les lanières grises qui crayonnent notre ciel, il nous est possible de faire venir la nature chez nous. De nombreuses possibilités s'offrent à nous : cultiver des herbes aromatiques pour parfumer nos repas, faire pousser des fleurs qui égaieront notre salon, bichonner un plant de tomates dans un recoin ensoleillé... de quoi se concocter une petit trouée de verdure ! Et si l'on a un jardin, on appréciera d'en faire le tour en s'arrêtant devant chaque plante, chaque arbuste afin d'apprécier leur pousse et de ressentir la joie de cueillir un fruit, un légume.

DORMIR À LA BELLE ÉTOILE

Ma première nuit à la belle étoile m'a émerveillée.

Il faudrait plutôt parler de belles étoiles,

car le ciel noir pullulait de ces joyaux scintillants.

Je ne me lassais pas de ce spectacle féerique

et me réjouissais d'apercevoir dans la voûte céleste

de plus en plus de constellations : l'étoile Polaire, le Chariot,

la Petite Ourse, la Grande Ourse, les étoiles filantes

et autres petits trésors incrustés dans le firmament...

Ces petites lumières qui percent l'obscurité brillaient

pour moi comme ces petits bonheurs qui illuminent

notre cœur et notre vie de tous les jours.

Et aussi...
- Se baigner tout nu dans un lac ou dans la mer
- Traverser une rivière à pied
- Se griser du chant des grillons en Provence
- Ramasser des myrtilles sur un chemin de montagne
- Se balader et manger des mûres
- Pêcher avec son enfant et remettre le poisson dans l'eau
- Descendre une piste de ski à toute allure...

L'automne

L'automne est bien là
Ce qui me le fit comprendre
C'est l'éternuement
HAÏKU, BUSON

Au loin rouge et or
La forêt frissonne
Quel vent
HAÏKU

Douce pluie

Quand il pleut en ville, on se dit que la journée est bien triste et l'on s'en protège en sortant son parapluie. Et pourtant, qu'elle tombe en fine bruine, en crachin ou à verse, elle a son charme. Pour ma part, j'aime me promener sous la pluie, bien emmitouflée, et lui offrir mon visage. Les odeurs des sous-bois remontent et parfument l'atmosphère d'un arôme humide et boisé. J'ai l'impression que mes sentiments coulent et que mon âme est lavée. Je me dis qu'elle féconde la terre, qu'elle nourrit les arbres, les plantes et la peau, qu'elle est généreuse. Cette sensation m'apaise.

La rentrée, une période excitante

Après des vacances où l'on s'est bien détendu et vidé la tête, on souhaite prolonger les bienfaits de l'été le plus longtemps possible et les faire durer jusqu'au début de l'hiver. En automne, on se sent donc prêt à vivre certains changements, à mettre en œuvre des projets, à prendre des résolutions.

Nos enfants changent de classe, renouvellent leurs livres et leurs fournitures ou commencent un nouveau sport. On décide de s'inscrire dans un club de sport, de changer de vêtements, de se couper les cheveux, de se lancer dans une nouvelle activité créatrice, d'arrêter de fumer… On se prépare ainsi avec ardeur aux changements de saison, de rythme de vie et d'horaire.

- Admirer la couleur pourpre des feuilles et les camaïeux chatoyants des forêts
- Se blottir derrière la vitre pour observer l'orage, les éclairs, le ciel en colère et trembler des grondements du tonnerre
- S'inscrire dans un atelier d'écriture ou un cours de dessin
- Cueillir des champignons
- Ramasser les feuilles mortes
- Profiter des rayons plus doux du soleil sur le visage...

L'hiver

Un écureuil volant
Croque un oisillon
Sur la lande fanée
HAÏKU, BUSON

Des mouettes immobiles
À la surface de l'eau
Le froid m'engourdit
HAÏKU

EMMITOUFLÉE SOUS LA COUETTE

C'est un matin d'hiver, les premiers flocons tombent. J'ouvre grand ma fenêtre et je me réfugie sous ma couette. Les cristaux s'écrasent sur le parquet et forment des petites flaques. Depuis quelques minutes, les bruits de la rue se sont arrêtés comme suspendus dans l'atmosphère ouatée. Et moi, je suis là, bien au chaud, je hume l'air frais... témoin d'une scène extraordinaire. Les toits, les fils électriques et les rebords de la fenêtre se recouvrent de blanc. Tout est calme soudain !

DEVANT LA CHEMINÉE

Confortablement installée devant l'âtre, je regarde le feu crépiter. Les flammes attirent mon regard comme un aimant au point qu'il m'est difficile d'ouvrir un livre ou de feuilleter un magazine. La chaleur pénètre dans mon corps et me réchauffe l'âme. Je contemple la beauté de ce spectacle « lumière et son » et me laisse peu à peu gagner par la nonchalance et la sensation d'être embrasée à mon tour.

Regarder les étoiles

En hiver, les constellations d'étoiles sont magnifiques, en particulier en janvier et en février. La nuit étoilée nous semble presque magique et nous fait rêver... Cela fait du bien de lever le nez au ciel de temps en temps et de contempler les étoiles, sans forcément disposer d'un matériel d'astronome. On regarde le ciel et l'on imagine qu'il existe dans l'univers des centaines de millions de galaxies qui contiennent elles-mêmes des centaines de milliards d'étoiles... On se dit alors que l'on n'est pas grand-chose... et, face à tant d'immensité et de beauté, on se sent heureux d'être là !

Le nouvel an, étape propice pour faire un vœu et le réaliser

La nouvelle année est un passage vers autre chose. On adresse à tous les gens que l'on aime des vœux de bonheur, de prospérité, de bonne santé... C'est donc une bonne période pour se formuler un souhait visant à améliorer sa vie et à changer quelque chose dans l'année à venir. Si vous rêvez depuis longtemps d'un hobby, d'un voyage, de leçons de piano, d'un stage de surf, d'une formation à l'université, vous pouvez vous accorder ce jour-là l'opportunité de passer du rêve à la réalité. La règle d'or en la circonstance étant de choisir une résolution facile à réaliser et à mettre en place, afin d'éviter toute entrave à son accomplissement. Ce premier jour de l'année, imprégné de votre souhait personnel, vous ouvre alors une perspective positive et heureuse.

- Faire craquer ses pas dans la neige
- Se délecter de l'odeur des feux de bois quand on se promène dans les villages
- Marcher à grands pas pour rentrer chez soi
- Se coucher de bonne heure
- Un froid vif sous un soleil éclatant
- Les illuminations dans la rue et les guirlandes accrochées aux maisons...

Notez vos petits bonheurs sur cette page

Notez vos petits bonheurs sur cette page

Notez vos petits bonheurs sur cette page

PLAISIRS PARTAGÉS

« Vivre, c'est être utile à soi.
Vivre, c'est être utile aux autres. »

SÉNÈQUE, LE PLUS MODERNE DES PHILOSOPHES ANCIENS,
PHILOSOPHE LATIN (4 AV. J.-C.–65 APR. J.-C.)

Comprendre que nous sommes un élément d'une famille, de groupes sociaux, du genre humain et, plus largement de la Nature, de la Vie, et apporter notre modeste contribution à ce vaste ensemble par des gestes qui rendent la vie plus belle. Avec une conscience aiguë du rôle que nous jouons au sein de notre environnement – même si c'est un petit rôle –, nos gestes prennent un sens différent car nous participons à son embellissement, pour le bonheur de tous.

Le sourire, lumière de vie

Connaissez-vous un geste plus simple et qui fasse autant de bien que le sourire ? Cherchez bien, vous aurez du mal à trouver. Son effet est immédiat, profond, durable et contagieux. Un jour, David Tran, réflexologue, lors d'une séance, m'a raconté une anecdote ancienne dont le souvenir reste pour lui encore très vivace. Il y a vingt ans environ, il montait de bon matin dans un car pour se rendre à son travail. Tous les passagers faisaient triste mine, comme il est de circonstance à une heure aussi matinale. Le chauffeur s'adressa alors à tous, leur demandant de saluer leur voisin par un « bonjour » et un sourire venant du fond du cœur. Tout le monde s'est prêté à cette expérience et a été transformé par ce geste aussi puissant qu'anodin. L'ambiance du car a radicalement changé. David Tran s'est senti plus léger, plus heureux ce jour-là. « La lumière est entrée dans mon cœur et dans le car », me dit-il. Depuis, ce sourire est devenu une sorte d'ancrage qui l'encourage à sourire chaque jour. Cet exemple illustre bien la puissance d'un sourire et la trace durable qu'il laisse en soi et autour de soi.

Il n'y a ni lieu, ni moment, ni circonstance privilégiés pour sourire. Ce mouvement du cœur peut s'exercer quand on le décide. Sourire n'est pas seulement une politesse mais une attitude profonde qui nous modifie intérieurement, *« car le sourire descend aussi profond que le bâillement, et, de proche en proche, délie la gorge, les poumons et le cœur »*, écrit le philosophe Alain en 1923. Il est magique et, en quelques secondes, nous délivre de la mauvaise humeur et métamorphose une situation maussade ou banale. Sourire à un enfant, à une personne âgée, à un inconnu, à un collègue de travail, c'est peu de choses et « ça peut rapporter gros ! », pour reprendre cette formule qui a fait les beaux jours de la loterie ! Il produit également des vagues de bonheur autour de soi. Alors pourquoi s'en priver ?

Respecter l'autre !

Lors d'un voyage d'affaires au Japon, un ami a vécu l'histoire suivante. Alors qu'il regarde des produits dans une boutique, le responsable du magasin passe devant lui à quatre pattes pour ne pas le déranger. Il le fait à deux reprises avec le sourire. Cet ami ne comprend tout d'abord pas ce qui se passe. Puis il réalise ensuite que cet homme n'a pas voulu le déranger. L'ayant compris, il a alors éprouvé une grande gratitude à l'égard de cet homme si attentif au confort de l'autre.

Car ces petits gestes de respect nous font le plus grand bien. Quand un adolescent nous laisse sa place dans le métro, quand on nous salue à notre arrivée dans un lieu public ou privé, quand quelqu'un se précipite vers une personne âgée en difficulté ou un aveugle pour l'aider à traverser, on est heureux de briser l'indifférence d'une société obnubilée par la réussite et d'y trouver un brin d'humanité.

« Tu aimeras ton prochain comme toi-même »

Cette parole de Jésus dans la Bible exprime deux choses essentielles. D'une part, l'importance de s'accepter tel que l'on est et, d'autre part, celle d'aimer les autres. S'ouvrir aux autres peut nous apporter beaucoup en retour. Cela nous aide à mieux nous connaître et nous donne le sentiment que notre vie prend toute sa valeur. Car quand on commence à puiser à sa source intérieure, on réalise qu'elle est inépuisable.

En famille

Merveilleux souvenirs de l'enfance

Dessiner des figurines

Je me rappelle ces après-midi passés avec mon grand-père, autour de la table de la salle à manger, où je dessinais des petites figurines. Je cherchais mon inspiration dans des ouvrages qu'il me prêtait pour l'occasion, dont le choix réduit – je dois le dire – m'invitait à reproduire des petits soldats. Mon grand-père lisait à côté de moi, discret, occupé à égrainer son chapelet. Le temps s'écoulait lentement dans un silence tranquille, seulement interrompu par le coucou surgissant du carillon pour marquer les heures. Dès que je finissais un dessin, je m'empressais de le lui montrer. Et lorsqu'il opinait de la tête en souriant, je ressentais une grande fierté et continuais avec plus d'ardeur, encouragée par ce signe affectueux.

Bien au chaud à la maison

Qui n'a jamais éprouvé ce si doux plaisir d'être (un peu !) malade et de rester bien au chaud à la maison tandis que les autres vont à l'école ? Certains même ont osé se faire passer pour « malades » afin d'échapper à un examen ou parce qu'ils n'avaient pas assez bien préparé leurs devoirs du lendemain. La jouissance de rester chez soi, au fond de son lit, à l'abri de tout, d'une réprimande ou d'une mauvaise note, reste un souvenir délicieux !

DE L'ART DE CRÉER À PARTIR DE PETITS RIENS...
Je repense parfois à la manière dont une vieille tante
réalisait à partir de petites serviettes de table usagées
une grande nappe en patchwork. Et comment elle remplaçait
avec goût et doigté les cols de chemise usés de son mari.

RETROUVER LES SAVEURS DE L'ENFANCE

Faire des bulles, manger des Malabar,

les garder dans la poche, manger

un Carambar, aspirer un Mistral,

petit tube de réglisse contenant du sucre

en poudre au parfum acidulé.

APRÈS UN GROS CHAGRIN, SE CONSOLER DANS LES BRAS DE SA MAMAN

Tendre souvenir que celui de mes enfants venant se réfugier

dans mes bras après un gros chagrin ou se consoler

d'une contrariété avec un camarade de classe ou avec la maîtresse...

Petits bonheurs racontés

Découvrir l'aventure d'un grand-père

Retrouver ses ancêtres n'est pas seulement réservé aux rois et aux grandes familles mais à toutes les familles. La recherche est aujourd'hui facilitée par des moteurs de recherche spécialisés en généalogie, ce qui constitue un point de départ pour aller ensuite chercher des éléments plus concrets et reconstituer au fil des découvertes ce grand puzzle de l'histoire de notre famille. Certes, nous ne partons pas tous de la même base. Dans certaines familles, remonter l'arbre des ancêtres est relativement facile, car de nombreux écrits, témoignages ou photos ont été conservés et transmis aux générations suivantes. Dans d'autres, le mystère plane sur certains membres de la famille ou reste entier. Il faut donc aller vers l'inconnu avec la matière dont on dispose, même si celle-ci est infime. L'aventure peut commencer avec l'interview d'une grande tante par exemple, à partir d'une photo ou d'une anecdote que l'on nous a racontée. On est ainsi prêt à se lancer dans une enquête faite de révélations, parfois très excitantes, parfois décevantes, mais aussi d'embûches. C'est au prix d'une grande persévérance et d'une grande attention à chaque détail des confidences reçues que nous progresserons ! Il se peut que l'on renoue ou que l'on établisse des liens avec certaines personnes de la famille que l'on n'aurait probablement pas connues sans cela et que l'on reconstitue ainsi une « nouvelle » famille. Sans remonter jusqu'aux très lointaines générations, on peut tout simplement s'intéresser à ses grands-parents, car découvrir leur histoire aide à trouver sa place dans la lignée actuelle et à grandir. Sans compter l'extrême plaisir que les grands-parents éprouvent généralement à parler du temps passé et qu'ils ressentent quand leurs petits-enfants s'y intéressent. À la lueur de l'histoire de leurs vies, on comprend mieux leurs parcours, leurs choix, et l'on peut plus facilement tisser un lien avec notre propre histoire.

Ainsi, le parcours énigmatique de mon grand-père paternel, décédé lorsque j'avais onze ans, missionnaire dans le Yunnan en Chine, homme de lettres, époux tardif et père silencieux, m'intriguait beaucoup. J'ai donc décidé de reconstituer son parcours, à partir d'interviews répétées auprès de la famille, mais aussi de photos complétées par la lecture de documents qu'il gardait précieusement et de ses ouvrages. Le croisement de ces témoignages subjectifs et réels, c'est-à-dire reliés à l'actualité de l'époque ainsi qu'à mes souvenirs, m'a permis de faire le tri entre la réalité et l'imaginaire attaché à ce grand-père. J'ai aussi pu mesurer son influence sur mes choix, qu'ils soient personnels ou professionnels, mieux en comprendre les raisons profondes et finalement m'en détacher, comme si je pouvais mieux faire le tri de ce qui m'appartient et de ce qui ne m'appartient pas. J'ai appris à mieux le connaître et j'ai aussi beaucoup appris sur moi. L'allégement qui en a suivi dans ma vie a été et est encore fort agréable !

Collecter les « bons mots » de la petite enfance

Géraldine, ma fille aînée, à peine âgée de deux ans, prenait son petit déjeuner dans la cuisine. Elle mangeait avec délectation des cornflakes dans son bol de lait.

À MA QUESTION :

« Alors, c'est bon, Géraldine ?

ELLE ME RÉPONDIT :

– Oui, c'est bon pour le moral ! »

Emma et Shana, les deux filles de mon ami Denis :

Emma (6 ans) apercevant deux personnes avec des cannes blanches dit à son père :

« Regarde papa les "invisibles" ! »

Shana (4 ans) remarquant l'ombre de son papa sur le mur et le plafond de la chambre lui dit :

« Regarde papa ! Ton ombre, c'est comme un copain ! »

Suite à une lecture, à la question « en quoi veux-tu être transformée ? » :

Emma : « En princesse !

– Et toi Shana ?

Après un moment d'hésitation :

– En purée ! »

Ces réflexions comme tant d'autres délices sortis de la bouche de nos enfants nous ravissent pour leur drôlerie, leur poésie et leur bon sens étonnant. Nous aimerions les garder tous en mémoire afin de les leur redire quelques années plus tard… comme l'a si bien compris mon amie Catherine. Elle me racontait en effet le bonheur que ses enfants, aujourd'hui adultes, ont à relire leurs « mots d'enfant », leurs toutes premières associations inattendues et marrantes. Pour cela, elle a patiemment recueilli leurs premières expressions dans un carnet qu'elle et son mari prennent beaucoup de plaisir à relire de temps en temps. L'écoutant, je regrettai de ne pas avoir fait la même chose, me souvenant seulement de certains fous rires quand j'entendais mes enfants déformer un mot, faire une association surprenante, un mot d'esprit, ponctuer leurs phrases de mots « savants » qu'elles ne comprenaient pas… ou encore imiter habilement leur entourage…

Si vous avez des enfants en bas âge, je ne peux donc que vous conseiller de garder en mémoire ces petits bouts d'expressions pour les leur transmettre, car c'est un cadeau précieux pour toute la famille. Nul besoin pour cela d'avoir un carnet sur soi en permanence. Vous pouvez utiliser n'importe quel support, un bout de papier, une note de magasin, un coin de magazine, une enveloppe usagée… et les ranger dans un tiroir par exemple. Le moment venu, vous n'aurez plus qu'à les rassembler dans un joli cahier. Ces petits gestes ne vous prendront que quelques secondes et vous apporteront d'immenses joies. Et pour ceux qui comme moi n'y auraient pas songé, il y a la perspective de se rattraper plus tard avec ses petits-enfants !

Douce nostalgie

Comme il est doux d'évoquer des moments heureux vécus avec des êtres chers qui ne sont plus là. On regarde en famille de vieux films, on feuillette de vieux albums ou on raconte des anecdotes, des histoires, des événements de leurs vies qui nous ont touchés, sans tristesse, parfois même avec humour. C'est une façon de les faire revivre, de leur donner une place dans notre vie de famille et de transmettre à nos enfants de beaux et tendres souvenirs.

- Feuilleter ses albums
- Revoir un film dans lequel figurent nos grands-parents
- L'histoire d'amour d'une aïeule
- Les secrets de beauté de notre grand-mère...

Les petits bonheurs qu'on reçoit ou qu'on déclenche

Le petit déjeuner du dimanche matin dans le lit avec les enfants

Ce délicieux moment commence lorsque les enfants arrivent en courant dans la chambre, trop heureux de grimper sur le lit pour prendre leur petit déjeuner. Les plateaux bougent, le sucre se renverse, les tartines voltigent, mais qu'importe, on retrouve le bonheur d'un moment détendu et naturel. Le rire, la tendresse se substituent aux règles cadencées du petit déjeuner ; en cet instant, chacun se relâche : on se fait des câlins, on savoure son café, on essaie de garder sa tasse en équilibre, on se raconte des histoires et l'on flâne agréablement sur la couette parcourue de vagues de tendresse.

Tendre complicité de l'enfant avec son animal de compagnie

Aujourd'hui, sous l'effet d'un mode de vie accéléré, on essaie de rendre très vite nos enfants autonomes. Nos bébés ne sont plus bercés et notre culture occidentale ne nous a guère appris à les masser. En conséquence, ils manquent de contacts. Aussi, la présence et surtout le contact d'un animal de compagnie sont-ils extraordinaires pour nos enfants. Le chien, tout comme le chat, par sa fourrure, ses coups de langue, sa queue qui frétille lui apporte une joie presque archaïque, qui n'a rien à voir avec ce que l'on peut lui apporter. L'enfant apprend à le toucher, à le caresser tout autant qu'à jouer avec lui. Cette tendre complicité lui procure de la chaleur, du plaisir, de la tendresse. L'animal devient son bébé, son premier complice, son ami.

Vivre en famille pendant les vacances

C'est un moment nécessaire pour reprendre conscience que l'on appartient à un groupe. C'est aussi la joie de profiter de nouvelles habitudes liées par exemple à l'absence de sollicitations multiples et variées comme la télévision, l'ordinateur et autres objets électroniques. Le plaisir des veillées d'antan réapparaît, car on se met à jouer aux cartes, à retrouver les jeux de société, à faire une promenade après le dîner en chantant et en bavardant... On passe du bon temps ensemble en partageant ces loisirs inhabituels. Vous verrez, les idées ne manquent pas en la matière, et les moments de joie que procurent ces récréations d'autrefois sont nombreux. Rien de tel pour resserrer les liens et passer des vacances reposantes !

LES REPAS DE FAMILLE EN TOUTE INTIMITÉ
Quel bonheur de se retrouver réunis autour d'un bon repas
quand toute pollution extérieure est écartée. Ce moment d'échange
sans télévision, sans radio, sans sonnerie de portable ou de téléphone
qu'on a pris la peine d'éteindre ou de mettre sur messagerie
devient un réel plaisir où chacun écoute, parle, rit, sourit, argumente...
sans perturbation ni brouillage. Tout le monde est présent !

La richesse des événements ordinaires

Quand on se réunit autour d'un jeu de société, d'un déjeuner champêtre, d'un dîner d'anniversaire... le bonheur s'infiltre dans la vie quotidienne. Le pique-nique est une occasion de partager dans la bonne humeur conversations et friandises. On s'émerveille de la présence de ses proches, on prend le temps de les regarder, de les écouter, de les toucher. On rit avec eux, on est là tout simplement avec eux... et c'est délicieux.

Se retrouver pour une joyeuse randonnée

On le sait, la marche améliore l'endurance, la circulation veineuse et le fonction-nement du système digestif et, entre autres avantages, évite de prendre du poids... Elle n'est pas seulement une activité bénéfique pour le corps : c'est aussi l'occa-sion de partager en famille le plaisir de l'effort et des retrouvailles. Rien de tel que de partir en randonnée avec frères, sœurs, oncles, tantes, cousins, cousines pour vivre ensemble une aventure joyeuse. La marche est un prétexte pour ne pas se perdre de vue, pour se raconter l'année écoulée, pour s'amuser ainsi que pour entretenir les liens familiaux.

Une fête n'est jamais parfaite

L'inattendu dans les soirées ou les fêtes entre amis a tout lieu de se produire. C'est pourquoi il est bon de se préparer à ces événements sans trop idéaliser. C'est en effet la meilleure façon de se laisser surprendre par les bons et moins bons moments. Pour ma part, j'ai souvent observé que trop y penser nuisait à l'intensité du moment vécu. La déception de ce qui n'est pas conforme à notre rêve ou à notre souhait peut gommer ce qui survient car on n'est pas réceptif à l'imprévu !

Il y a environ dix ans, je m'attendais à ce que le champagne coule à flots et que nous soyions très nombreux à la fête que mes amis organisaient dans leur maison de campagne pour leur anniversaire de mariage. Je découvris en arrivant qu'il n'y avait ni champagne ni foule. Nous étions une vingtaine seulement. Obligés de modifier leur projet à cause d'un pépin financier de dernière minute, et sans avoir eu le temps de nous prévenir, nos hôtes avaient finalement opté pour un buffet campagnard et invité seulement leurs meilleurs amis.

Nous étions tous sur notre « 31 », avec des intentions et des tenues totalement inadaptées à la soirée. Malgré leur gêne, nous avons apprécié leur accueil si amical et ri de bon cœur pendant cette soirée. Ce buffet champêtre fut un moment de partage et d'amitié dont nous nous souvenons tous avec une tendre nostalgie. Inutile donc de se faire une idée trop précise d'une fête. S'y préparer agréablement compte bien sûr. Mais il importe avant tout de se laisser porter par le moment présent, source d'étonnement permanent !

LA FÊTE DE NOËL
QUAND MES FILLES ÉTAIENT PETITES
J'aimais la crainte qu'elles éprouvaient
en poussant la porte du salon, leur joie
à la vue des cadeaux étalés sous le sapin,
l'odeur des aiguilles de pin mélangée
à celle des clémentines, les chaussures
emplies de papillotes et le bruit
du papier déchiré en toute hâte.

Lire des livres à ses enfants, même quand ils savent lire

La lecture d'un livre à ses enfants est à la fois un voyage dans l'imaginaire, un moment d'une grande intimité et un rendez-vous fort plaisant que je n'aurais voulu manquer pour rien au monde. Mes filles non plus ! Chaque soir, avant qu'elles ne s'endorment, elles attendaient avec impatience la lecture d'une ou de plusieurs histoires selon la longueur. Elles avaient parfois du mal à choisir... Dès que je commençais la lecture à voix haute, elles buvaient mes paroles avec une sorte de délectation joyeuse. Je dois avouer que je prenais autant de plaisir qu'elles à suivre les aventures de *Mimi Cracra*, du *Chapeau volant*, de *Marcel le champion* et autres héros truculents de la littérature enfantine. Alors même qu'elles savaient lire, elles préféraient mille fois que je leur en fasse la lecture. C'était ensuite pour elles l'occasion d'en parler avec moi, de s'interroger, d'évoquer leurs sentiments, leurs impressions, leurs envies... Une matière riche à partager chaque jour durant leur enfance et qui dure... Il nous arrive encore d'évoquer, dix ans plus tard, ces tendres moments et ces personnages qui mettaient quotidiennement de l'extraordinaire dans notre ordinaire.

Consacrer du temps à ses enfants

Que l'on fasse des pâtés de sable avec les tout-petits, que l'on joue à cache-cache ou au badminton avec les plus grands, les jeux sont une forme d'attention nécessaire à la relation d'amour. De même, aider ses enfants à faire leurs devoirs, surveiller les plus jeunes dans le square ou conduire les adolescents à leur cours de sport, c'est du temps passé avec eux. On apprend ainsi à mieux les connaître, à observer ce qui leur plaît, ce qui leur fait peur, ce qui stimule leur ardeur. Ou encore s'ils sont bons joueurs, s'ils se découragent au premier obstacle, comment ils travaillent... Plus on sera attentif à ces moments partagés avec eux, plus on aura des informations précieuses sur eux et plus notre relation d'amour s'enrichira.

Planter un arbre

Planter un arbre est une façon de laisser une trace, une sorte de défi à la mort. Il y a d'abord le plaisir de le planter, de toucher la terre, de le glisser dans un trou que l'on rebouche ensuite, de l'arroser et de le voir grandir chaque jour. Mesurer sa poussée, voir apparaître ses bourgeons et l'observer changer de couleur à chaque saison est un hymne à la vie ! Cette vie, qui pousse lentement sous nos yeux et nous enchante, nous donne des leçons de lenteur et de sagesse en matière de consommation. Plus il vieillit, plus il devient beau ! Planter un arbre, c'est aussi une jolie coutume que d'aucuns pratiquent à la naissance de chaque enfant, pour ancrer leur bonheur dans la terre et laisser une trace de leur passage : car ces arbres ne seront-ils pas encore là dans plusieurs siècles ?

RELIRE AVEC ÉMOTION UN POÈME ÉCRIT PAR SON ENFANT
Sur la première page d'un livre que ma fille cadette Clémence
m'a offert à Noël, en 1997, je redécouvrais ceci :
« La vie est une goutte d'eau qui tombe
à chaque instant, qui parfois frémit selon les sentiments
et qui tombe un jour pour aller dormir. »

- Apprendre un tour de magie
- Parler de choses importantes et de futilités, sans hiérarchiser
- Se promener avec ses enfants main dans la main ou en se tenant par le bras, comme de bons amis
- Rire avec son enfant
- S'émerveiller de la présence de nos proches : prendre le temps de les regarder, de les écouter, de les toucher
- Quand notre enfant nous annonce une bonne note au retour de l'école...

Notez vos petits bonheurs sur cette page

Notez vos petits bonheurs sur cette page

Entre amis

Les amitiés sont plus faciles à goûter que les relations familiales, car nous les construisons et nous pouvons nous limiter aux choses agréables. L'amitié sera source d'enchantement à condition de miser sur l'expression de soi, sur l'authenticité. Avec les amis, il est possible de se laisser aller, d'être soi-même, de laisser libre cours à ce que l'on est, en dehors des rôles que nous tenons à l'extérieur, dans la vie sociale, professionnelle ou familiale.

Vivre la nouveauté

Celui qui s'entoure d'amis qui confirment simplement son personnage public, qui ne questionnent pas ses rêves ou ses désirs, qui ne le poussent pas à essayer de nouvelles façons d'être, celui-là rate les possibilités qu'offre l'amitié. Le véritable ami est celui avec lequel il est possible d'être parfois cinglé ou « pas en forme ». C'est quelqu'un avec qui partager son idéal de progression de même que les risques qu'on a le goût de prendre. Si la famille assure la protection affective de base, l'amitié implique la nouveauté. Par exemple, les gens se rappellent des vacances en famille : avec les amis, ils rapportent des souvenirs associés à l'excitation, à l'aventure, à la découverte. De nos jours, il est difficile de maintenir les amitiés. La grande mobilité et l'accélération du mode de vie rendent difficiles les relations durables. On se rappelle souvent la larme à l'œil les rencontres que l'on a faites au lycée ou au collège, à l'université... S'il est plus facile de se lier d'amitié à cette période-là, la création ou le maintien d'une amitié pendant l'âge adulte exigent une énergie considérable. C'est le prix de l'amitié authentique et de l'expérience formidable qu'elle permet.

Le regard qui va droit au cœur

Des passants, un bruit, l'écran d'un ordinateur ou d'une télévision, mille choses peuvent attirer notre regard et nous distraire d'un tête-à-tête. Nous pouvons parler à quelqu'un sans le voir, préoccupé ou seulement occupé à d'autres pensées, mi-présent, mi-absent.

C'est ce qui m'est arrivé récemment avec une amie avec qui je conversais dans la rue. Alors que je lui demandais de ses nouvelles, mon attention a été détournée par un passant qui parlait fort. La conséquence en fut doublement négative. N'ayant entendu qu'une partie de sa réponse, j'ai culpabilisé de ne pas l'avoir écoutée et vivement regretté cet échange incomplet.

Un regard franc, présent et aimant reste notre plus beau moyen de communiquer avec autrui. Je ne parle bien entendu pas de ce regard qui toise ou veut dominer mais de celui qui tressaille aux moindres mouvements de la pupille et des battements de cils. Le cœur est à son aise pour s'exprimer et entendre l'autre.

L'art délicat de bien se comporter

Se montrer poli et prévenant chaque fois que c'est possible adoucit les mœurs. Une telle règle n'implique ni mensonge ni flatterie car il y a nécessairement du positif chez l'autre. Si un ami nous dit certaines « vérités » avec emportement, au lieu de riposter sur le même ton, nous pouvons lui répondre avec sincérité sans forcer le ton. Même si ses accusations nous semblent injustes, il est bon de se méfier de la colère dans ces situations critiques, car elle peut en quelques secondes tout gâcher. Voyons plutôt en lui ce qui fait que nous l'aimons et ce qu'il a de mieux. Après tout, il doit avoir ses raisons. La politesse du cœur est comme une joie contagieuse si l'on reste authentique, souriant et véritablement ouvert à l'autre.

Faire plaisir aux autres rend heureux

Quel que soit le temps, je me lève de bonne humeur. Je commence par quelques mouvements de yoga – une Salutation au soleil par exemple – ou une danse du ventre, un petit déjeuner équilibré tout en écoutant la radio. J'agis avec entrain, je fais du sport, j'écris, je prends ou j'honore mes rendez-vous, je lis... L'action est au cœur de ma vie : elle accompagne ma bonne humeur et m'aide à supporter mes moments de tristesse, de déceptions, de difficultés... Plus que tout cela, elle me porte vers les autres. J'aime répondre à la demande d'un ou d'une amie, lui rendre service, être à son écoute, lui donner de mon temps, faire quelque chose pour lui ou elle. Je donne et je reçois et cela m'emplit de joie. Sans ce partage, j'aurais l'impression de m'endurcir.

RIRE AUX ÉCLATS

J'aime l'ambiance d'une soirée amicale détendue et légère où le rire et l'humeur joyeuse servent de trait d'union. On rit aux éclats et on s'amuse pour des riens. Quand je ris ainsi, je ressens une agréable sensation d'abandon et de liberté extrême. Et chaque fois, je me fais la promesse de tout faire pour rire ainsi chaque jour !

Fêter un événement marquant

Fêter avec ses amis un anniversaire est chose courante dans notre culture. Pour ma part, à l'instar des Aborigènes, je ne me sens pas spécialement concernée par cet événement qui me semble être avant tout celui de mes géniteurs. Car en quoi le fait de prendre de l'âge est-il un événement suffisamment impliquant pour vouloir le fêter ?

Je préfère réunir mes amis autour d'un événement heureux qui résulte d'un effort important, d'un progrès ou qui consacre la réalisation d'un rêve personnel. Par exemple, partager avec eux un succès personnel ou professionnel, une promotion, un changement favorable qui marquent un progrès, une avancée significative dans ma vie. Ou bien fêter un petit bonheur, un grand, une naissance, un bel événement familial ou sentimental... et célébrer ainsi dans l'amitié et la joie une étape heureuse de ma vie.

- Se retrouver comme des adolescents
- Chanter ensemble
- Une soirée qui se déchaîne
- Se faire des confidences
- L'art délicat de bien se comporter
- Faire honneur à un plat même si vous ne l'aimez pas
- Danser jusqu'à l'aube
- Appeler quelqu'un pour rien...

Notez vos petits bonheurs sur cette page

Notez vos petits bonheurs sur cette page

En couple

La vie quotidienne, le cœur et le corps ne font pas toujours bon ménage. Pourtant, une vision réaliste du couple associée à la volonté de cultiver journellement la qualité de sa relation amoureuse et d'entretenir le désir peut nous aider à traverser en confiance des situations difficiles et à attiser les plaisirs de la vie de couple.

Cultiver l'art d'aimer

Des roses rouges pour dire je t'aime...

Dans presque toutes les cultures, les fleurs sont associées au bonheur. Elles ont une place de choix dans les célébrations des fêtes et de l'amour, excepté en Afrique ou dans la culture juive qui les ont rejetées parce qu'ils les associaient au paganisme ou à l'idolâtrie. En Europe, on a commencé à s'en servir pour envoyer des messages amoureux à partir du XVIII\ :superscript:`e` siècle.

La rose, reine des fleurs, de tous temps chantée par les poètes, les artistes et les rois est devenue le symbole du don de l'amour pur... Selon la mythologie, la rose rouge hérita de sa couleur vermeille grâce à la maladresse de Cupidon qui, sans le vouloir, renversa du vin rouge sur une rose blanche. Celle-ci en rougit et s'imprégna ainsi *d'incomparables vertus pour nous les prodiguer*. Les roses rouges expriment par leur beauté, leur éclat et leur raffinement ce jaillissement de la vie si précieux à l'amour. Ne vous privez donc pas de la puissance de leur langage et offrez-les à votre amour !

Faire vivre le souvenir de notre rencontre

« Nous sommes mariés depuis vingt-trois ans, et mon couple a connu
des hauts et des bas. Quand ça ne va pas entre nous ou lorsque nous nous
éloignons l'un de l'autre, j'essaie de me remémorer les premiers moments
de notre histoire d'amour, ce qui en a fait la force et l'intensité.
Et je suis émerveillée de découvrir que ce trésor est toujours là,
bien vivant au fond de mes entrailles, prêt à revivre. »
Adélaïde

Exercer ses sentiments au quotidien !

« On ne joue pas aux cartes pour les jeter d'un mouvement d'impatience ou d'ennui.
Et personne n'a jamais eu l'idée de jouer au hasard sur un piano. »
Alain, philosophe français (1868-1951), *Propos sur le bonheur*

La musique est pour Alain l'exemple le plus parlant d'une volonté qui, s'exerçant quotidiennement, produit des merveilles...

Dans presque tous les domaines, fournir des efforts pour que les choses fonctionnent nous semble naturel. Dans la vie privée, il en va de même. Car plus nos sentiments sont sincères et précieux, plus ils ont besoin d'égards. C'est-à-dire d'être protégés de nos humeurs, soutenus par une volonté quotidienne d'aimer l'autre tel qu'il est, de le séduire, de le comprendre... en s'obligeant au respect. L'amour se cultive, tout comme le désir a besoin d'être entretenu.

La passion s'est évaporée, le mariage et les enfants sont arrivés... On s'est endormi sur ses lauriers. L'ennui, les variations d'humeur, les complexes ou bien un déficit d'estime de soi ont peut-être pris la place des premiers émois et des bons moments d'alors... Cela vaut la peine de tout faire pour en raviver la flamme et de lutter pour leur donner la place qu'ils méritent dans cette relation.

SE TENIR LA MAIN PENDANT UN SPECTACLE

Regarder un film, assister à la représentation d'une pièce de théâtre, d'un opéra... mains entrecroisées est un vrai délice. Sa main devient au fil du spectacle chaude, tendre jusqu'à se confondre avec la mienne. Un petit serrement me dit qu'il apprécie, un mouvement de la mienne lui souligne un détail... Nous partageons nos émotions et nos ressentis sans paroles, dans la communion.

Ficelles pour développer sa capacité d'aimer

Bien souvent, lorsque la période de s'engager dans la relation sentimentale est passée, l'attirance ressentie pour son partenaire s'émousse... L'énergie qu'on consacrait à penser à lui s'est déplacée sur la vie familiale, le travail et toutes les contraintes de la vie quotidienne qui ont finalement pris le dessus ! Or, si l'on veut que la légèreté, la poésie, l'imagination donnent un nouvel élan à sa vie de couple, il faut apprendre à se concentrer sur ses désirs plus que sur ses besoins. Car les besoins vont davantage mettre en lumière ce qui manque dans la relation, tandis que les désirs entraînent vers la joie et la passion. Le désir est tout à la fois mental, physique et psychologique et exacerbe tous les sens... Voici quelques idées simples pour retrouver et entretenir la « flamme » de vos sentiments au quotidien :

····> **Écrire toutes les qualités que vous trouvez à votre partenaire.** « J'aime quand il chante sous la douche », ou bien « j'aime quand elle se brosse les cheveux », « j'aime son sourire lorsqu'il a réussi quelque chose »... Ces déclarations montrent que l'on s'intéresse à l'autre... Des chercheurs américains affirment même qu'écrire ces petits détails sur l'autre au début d'une relation amoureuse lui permettra de durer. C'est en effet une façon d'ouvrir les yeux sur son partenaire et de reconnaître ce qu'on apprécie chez lui. Non seulement c'est amusant à faire, mais cela vous réservera des surprises sur lui et sur vous : que votre partenaire aime chez vous des choses que vous ne soupçonniez pas du tout...

····⟩ **Faire la liste de deux ou trois événements qui vous ont rendus heureux depuis que vous êtes ensemble.** Replongez-vous dans cette situation, avec votre cœur. Essayez de retrouver tous les détails de l'événement : vos émotions du moment, votre tenue vestimentaire, l'ambiance, les parfums, son odeur...

····⟩ **Rafraîchir la créativité amoureuse de votre couple...** L'exercice de mémoire ci-dessus vous aura rappelé certains plaisirs communs peut-être oubliés ou certaines activités que vous partagiez au début de votre histoire et que vous ne faites plus aujourd'hui... Pourquoi ne pas aller au cinéma en semaine comme vous le faisiez auparavant, partir en week-end en amoureux, chiner ou aller voir une expo ensemble ? La nouveauté peut avoir aussi son charme. Décidez de vous inscrire ensemble à un cours de danse de salon, de salsa, de rock, d'apprendre le chant ou de faire du footing chaque dimanche matin ! La nature vous offre également une infinité de chemins pour réveiller vos sens. Observez-la et jouissez de la douceur des vagues qui lèchent la plage déserte, de la forme sensuelle des feuilles, des parfums suaves des fleurs ou de l'herbe coupée, du spectacle si romantique d'un coucher de soleil sur un fond de ciel rose, etc.

Séduisez l'autre mais restez tel que vous êtes !

Au début de la relation amoureuse, tout est prétexte pour attirer le regard de l'autre et occuper ses pensées. Puis, petit à petit, à la fois rassuré sur la solidité de la relation et récupéré par le stress de la vie quotidienne, on néglige de se mettre en valeur à ses yeux, on se demande même s'il nous plaît encore. Des choix « cruciaux » s'imposent à nous, et la promenade en vélo avec les enfants passe avant la sieste câline avec son compagnon ou sa compagne...

Et pourtant l'on sait bien que la séduction agit comme un véritable piment dans une relation qui ronronne ou qui s'essouffle... C'est le moment de montrer de vous ce que vous avez de meilleur, sans pour autant changer d'un seul coup toutes vos attitudes, ni utiliser un genre qui ne vous va pas. Ne devenez ni star, ni play-boy, restez seulement naturel. Appliquez-vous à valoriser tous vos atouts, ceux que l'on ne voit pas et ceux que vous avez laissés en veilleuse. Par exemple, changez de coiffure, car ces grandes mèches qui cachent votre visage vous donnent un air triste. Ou bien, retrouvez votre sourire, votre rire. On disait de vous que vous étiez un pitre à l'âge de cinq ans. Eh bien, qu'attendez-vous pour vous amuser... et faire rire votre partenaire ?

La courtoisie dans la vie de tous les jours

Redoubler d'attentions à l'égard de la personne avec qui l'on vit me semble infiniment plus important que prodiguer sourires et politesses à des personnes que nous connaissons à peine. Ainsi, tel homme se montre plus attentionné avec sa voisine qu'avec sa femme. Telle femme ne sait pas remercier son mari lorsque celui-ci lui rend un service. Telle autre emprunte un objet personnel à son conjoint sans même le lui demander, alors même qu'elle sait se montrer délicate avec ses collègues de travail ou des inconnus... L'absence de bonnes manières dans le couple finira par avoir des conséquences négatives sur la relation et en particulier sur le regard que l'on porte sur l'autre.

Nous pouvons éviter cela en ayant présent à l'esprit que la personne que nous aimons et avec qui nous partageons notre vie requiert, plus que n'importe quel inconnu, toute notre délicatesse et la courtoisie la plus grande. Moment de partage délicieux que celui de préparer et de prendre le petit déjeuner, à 5 heures du matin avec son amour qui doit partir quelques jours à l'étranger pour un voyage d'affaires. Même s'il est difficile de s'extraire de sa couette à une heure aussi matinale ! Ces gestes délicats vous rendront la vie à deux plus heureuse.

- Abuser de ces petits riens qui font plaisir à l'être aimé
- Dire souvent « je t'aime » du fond du cœur et pas d'une façon mécanique comme l'on dirait « bonjour » ou « bonsoir » !
- Après une absence, savoir lui dire : « Tu m'as manqué ! »
- Lui trouver un petit nom charmant et le lui dire souvent
- Boire ensemble une coupe de champagne
- Lui lire ou lui écrire un poème, même si vous n'êtes pas poète !
- Choisir un cadeau avec amour, c'est-à-dire en ayant fait l'effort de lui trouver un cadeau vraiment approprié : le vieux tube qu'il fredonne quand il est heureux et qu'il n'a pas encore acheté, un livre que sa grand-mère adorait. Son tirage étant épuisé, chiner chez les bouquinistes s'impose alors ! Ou bien offrez-lui un billet d'avion pour Londres juste avant Noël, elle rêve d'y aller depuis si longtemps...
- Improviser une soirée romantique à la maison avec chandelles et petits plats...
- Préserver votre intimité le plus souvent possible. Lorsque vous conversez sur des sujets importants, que vous prenez votre repas ou que vous faites la sieste... mettez-vous à l'écart des sollicitations extérieures en éteignant votre portable ou en mettant votre téléphone sur répondeur, en cherchant un lieu tranquille à l'écart du bruit ou des voisins dans les lieux publics.
- Fêter ensemble l'anniversaire de votre toute première rencontre et des premiers baisers. Trouver d'autres événements à fêter régulièrement ensemble !

ET AUSSI...

- Écrire des haïkus, petits poèmes japonais de trois vers, à la personne que l'on aime
- Saisir la moindre occasion de rire ensemble
- Multiplier les petites attentions quotidiennes : lui préparer une tartine au petit déjeuner, lui concocter sa sauce de salade préférée...

Quand la sensualité rime avec la sexualité et l'amour

Le secret biologique d'une histoire d'amour qui dure, c'est le maintien d'une relation sexuelle régulière et plaisante. Cet instant magique que celle-ci nous procure nécessite de la présence à l'autre, de l'écoute mais aussi des trésors d'imagination et du temps. Voici deux trois suggestions qui auront, je l'espère, la vertu de vous ouvrir à d'autres voies.

Se préparer aux plaisirs de l'amour

On fait trop souvent l'amour sans en avoir vraiment envie. En toute hâte, fatigués et peu attentifs, on agit comme des sauvages ! Il est pourtant essentiel d'accorder une place à la sexualité dans sa vie. Dans la philosophie hindoue, taoïste ou zen, l'acte d'amour n'est pas une activité ponctuelle, il est au cœur même de la vie. C'est avant tout une façon d'être. Le cœur s'ouvre à l'autre, le corps s'apaise et l'esprit trouve son équilibre. On prend bien du temps pour aller au cinéma, pour lire des critiques, pour lire un livre ou voir des amis... Ainsi, préparer son cerveau et son corps à accueillir l'autre est nécessaire : on informe son corps qu'il va s'animer dans le plaisir.

Un ami me racontait que chaque jour, dès 16 heures, il commence à penser à faire l'amour avec sa compagne. Le moment où cela se produira lui importe peu. Ce qui est essentiel pour lui, c'est de se mettre dans la disposition d'ouverture à l'autre, de cultiver son désir pour elle et de tout mettre en œuvre pour lui faire plaisir. Grâce à ce temps de préparation, il entretient son désir pour son amour afin de mieux savourer ce moment d'intimité sexuelle.

Il se peut que sa compagne ne soit pas réceptive ce soir-là. Son désir s'exprimera alors par des gestes de tendresse et d'attentions pour elle.

Une danse langoureuse après le dîner...

Notre inventivité sait transformer les situations les plus banales en moments inoubliables, sachons y faire appel le plus souvent possible... Inutile d'avoir une raison particulière pour inviter votre amour à danser. Pour une fois, ne vous jetez pas sur les dernières corvées de la soirée, dès le repas terminé. Choisissez plutôt votre musique préférée – par exemple « *When a Man Loves a Woman* » de Percis Ledge – et invitez votre partenaire à esquisser quelques pas de danse. Les soucis de la journée ne résistent pas longtemps et s'envolent au deuxième refrain, les émotions montent, les corps se rapprochent. Le désir peut alors renaître dans ce contact charnel et fusionnel. La danse, que nous croyons injustement réservée à la jeunesse, est en effet un merveilleux préliminaire aux jeux de l'amour.

En couple

La douche à deux, doux prélude aux câlins

Et si vous preniez votre douche ensemble aujourd'hui ! Suave plaisir de savonner et de caresser le corps de l'autre, en commençant par le dos, le cou et ses parties les plus intimes... On rit, on s'embrasse, on s'enlace tandis que l'eau ruisselle sur nos corps émoustillés... On se sent propres et parfaitement détendus. On enveloppe le corps de son amour dans une serviette toute chaude et on lui chuchote au creux de l'oreille des mots doux, coquins peut-être... On se glisse dans le lit relaxés et remplis de désir l'un pour l'autre...

Transformer sa chambre en nid d'amour

La créativité en amour peut aussi s'appuyer sur des détails extérieurs qui sauront créer une ambiance intime et propice à l'amour. Quelques bougies, de l'encens, une lumière tamisée ou une musique douce participeront à l'intimité désirée. Ces à-côtés ne sont certes pas indispensables. Ils constituent juste un plus s'ils ne nous détournent pas de la présence à soi et à l'autre, essentielle pour vivre ce moment d'amour comme un moment de plaisir intense !

QUAND IL ME CARESSE LA TÊTE

« Sa main lisse mes cheveux et ses doigts massent mon crâne, tendrement, lentement. Cela me procure un plaisir immédiat, cela m'apaise. Ce geste vaut pour moi toutes les tendresses du monde ! »

Alice

La danse du ventre assure aux femmes une bonne efficience sexuelle

Cette danse consiste en un mouvement de rotation très simple que les femmes peuvent pratiquer quotidiennement afin de rendre leur bassin plus mobile. Cet exercice stimule et tonifie les nerfs émergeant de la colonne lombaire. Pratiqué plus de trois minutes par jour, il fortifie les cuisses, atténue la culotte de cheval et lutte efficacement contre la constipation... sans compter ses effets bénéfiques sur tout l'appareil génital et l'efficience sexuelle.

····> Il s'agit de faire des mouvements circulaires avec son bassin. Écartez vos pieds d'au moins 30 cm et mettez-les en canard, la pointe vers l'extérieur. Baissez-vous d'environ 20 cm en pliant légèrement vos genoux. Et mettez les mains aux hanches.

Dans cette position mi-debout, mi-assise, commencez par décontracter le bas-ventre et le bas du dos. Puis effectuez des cercles aussi larges que possible en gardant le buste et la tête immobiles.

····⟩ Dans un premier temps, vous décomposerez vos cercles comme suit :
• basculez le bassin en poussant le pubis vers le haut et en avant ;
• poussez la hanche vers la gauche ;
• projetez ensuite le postérieur vers l'arrière ;
• enfin poussez la hanche vers la droite.

Ces quatre mouvements correspondent à une rotation complète du bassin. Faites trois tours dans un sens puis trois dans l'autre et redressez-vous en respirant profondément et en étant attentive à vos sensations, en particulier au niveau du plancher pelvien. Puis reprenez des cycles de deux fois trois rotations et ainsi de suite à volonté, l'idéal étant d'en faire au moins trois minutes par jour.

Jeux de pieds pour développer le tonus sexuel

La réflexologie a des effets positifs sur la sexualité. Le docteur Tran, réflexologue, décrit ainsi certains gestes particulièrement favorables au tonus sexuel du couple. Il conseille de les pratiquer avant de faire l'amour, dans une pleine présence à soi et à l'autre, ce qui facilitera le passage de notre état d'être du moment à celui que requiert l'acte d'amour. Une parenthèse dans le quotidien où les corps vibrent à l'unisson de leur cœur.

····⟩ On peut par exemple se masser mutuellement les talons. Ce simple geste favorise la détente et l'abandon progressif de chacun. Caresser avec une plume ou masser avec de l'huile la partie interne de la plante des pieds dans le sens des aiguilles d'une montre prépare à l'acte d'amour.

····⟩ On peut également entrecroiser ses doigts entre les orteils de son partenaire. On se concentre alors très fort sur ce geste pour bien ressentir la présence de l'autre à travers ce contact. On serre très fort comme si l'on voulait casser les orteils et on relâche délicatement. Et notre amour fait de même avec nous. Le corps et l'esprit s'unissent par ce geste simple qui entraîne le désir.

L'acte sexuel, moment de communion et de plaisir à deux

Dans l'acte sexuel, on éprouve des sensations uniques qui n'attendent pas l'orgasme pour exister. On libère des endorphines, ces fameuses « hormones du bonheur » ou « de l'extase », qui favorisent la relaxation et nous font voir « la vie en rose » !

Ce corps à corps nous ramène à nos toutes premières années, en particulier au souvenir des mouvements de notre corps contre la paroi utérine dans le ventre maternel. Les gestes amoureux font écho à ce temps de douceur où nos peaux se touchaient. C'est pourquoi certains gestes amoureux provoquent tant d'émotions sans que nous sachions vraiment pourquoi.

Ce que l'on nous a raconté sur le monde qui nous entoure et sur la sexualité, ainsi que la manière dont nos parents se sont aimés et ont vécu leur sexualité influenceront notre vie sexuelle. On saura plus ou moins donner, recevoir et s'abandonner à l'autre en le respectant. Cependant, l'acte sexuel vient aussi bousculer l'histoire de deux corps faits d'inhibitions et de libertés, en proposant des potentialités soudaines, d'autant plus précieuses qu'elles sont souvent fugitives...

L'amour du côté du désir

À l'instar de la relation d'amour, il importe de placer la sexualité du côté du désir et non pas du besoin. La sexualité vécue comme un besoin nous tire vers le bas, nous ramenant du côté de la fonction hygiénique, à un stade presque animal. Mais lorsque l'acte sexuel est vécu dans un mouvement de dépassement de soi, de l'autre – le désir se nourrit aussi du désir que l'autre a de soi –, de notre corps, il devient extraordinaire. Il arrive parfois avec certaines personnes que le sexe nous élève à un niveau spirituel, bien au-delà du plaisir et du désir. C'est un enchantement des sens !

Laisser surgir l'imprévisible

Il ne faut rien décider d'avance, ni du temps que l'on va consacrer à faire l'amour, ni de la position que l'on va adopter, ni de l'orgasme que l'on veut avoir... De ces intentions trop marquées vient en général le problème... L'acte sexuel devient alors cérébral et ajoute une pression supplémentaire à toutes celles que nous avons déjà dans notre vie quotidienne. L'improvisation émerge quand on parvient à s'écouter et que l'on s'expose à une nouvelle rencontre avec soi et avec son partenaire. C'est dans cette fraîcheur d'accueil que d'agréables ressentis peuvent apparaître.

Savoir dire non

Être à l'écoute de soi est la clef d'une bonne sexualité. Si vous répondez à l'envie de l'autre ou si vous vous conformez « à la norme » alors que cela ne correspond pas à votre désir du moment, vous risquez de tout gâcher. Par crainte de vexer l'autre, par pudeur aussi, on n'ose pas toujours dire ce que l'on n'aime pas. Subir un geste que l'on ressent comme désagréable est une façon de ne pas se respecter, parfois même une souffrance pour soi. Or si l'on veut développer un climat de confiance avec son partenaire, il est essentiel de lui exprimer ses non-désirs comme ses désirs. De préférence, choisissez, pour en parler sereinement, un autre contexte que celui du lit.

Prendre tout son temps

Se donner du temps lorsqu'on fait l'amour est nécessaire, car ce moment d'échange réclame une grande disponibilité. Le plaisir est bien plus intense quand on s'abandonne aux caresses de son partenaire, qu'on écoute ses sensations, qu'on accueille les siennes. On laisse alors tranquillement monter son désir, sans se fixer un délai ou se soucier du lendemain. Si vous êtes à la veille d'un rendez-vous matinal important ou d'une journée particulièrement stressante, choisissez un autre moment pour faire l'amour.

En Occident, nous sommes déterminés par le temps linéaire que nous donnent les calendriers, les montres, les horloges. On compte les moments, on quantifie, on planifie, on se hâte de plus en plus, on vit à cent à l'heure et on a le sentiment que le temps nous glisse entre les doigts. C'est comme si nous étions sur une ligne droite sur laquelle tout se déplace... Pour les Orientaux, le temps est sacré, ce qui ne veut pas dire religieux mais réel. C'est celui qui annule toutes les autres formes de temps. Le passé est révolu car il n'existe plus. L'avenir est à venir : il n'existe donc pas encore. Seul le moment présent existe, c'est-à-dire *l'ici et maintenant*.

Ainsi, cette notion de temps sacré transposée dans l'amour se traduit pour les tantristes* par un acte sexuel qui peut durer plusieurs heures, avec des phases actives et non actives. Le couple ne s'obsède pas sur l'orgasme à tout prix, il s'ingénie à ressentir. L'homme se focalise sur le plaisir de sa partenaire. L'acte d'amour vécu dans cette dimension de temps « hors du temps » est pour eux un facteur d'harmonie pour le couple.

* Le tantrisme est une philosophie selon laquelle l'univers naît de l'union cosmique des principes mâle et femelle dont l'amour est l'expression sur le plan humain.

Né en Inde il y a plusieurs millénaires, cet art d'aimer révèle la dimension cachée et sacrée de l'union des sexes, qui cesse d'être banale, pour devenir une méditation à deux.

La méthode consiste à entrer dans la sexualité avec la seule énergie du corps, sans passer par des fantasmes par exemple. C'est l'expérience de l'unité avec soi et avec l'autre.

Le tantrisme efface ainsi l'opposition artificielle entre la sexualité et la spiritualité.

La relaxation, gage d'un moment privilégié

Sans vouloir les imiter, on peut s'inspirer de leur aptitude à favoriser la détente et à cultiver l'attention à soi et à l'autre. Avant l'acte sexuel, il est essentiel de se détendre afin de chasser la fatigue et toutes les pensées tourbillonnantes de notre esprit agité. Les approches sensuelles, les massages, les caresses, les siestes partagées apprennent à mieux se servir de son corps dans la relation à l'autre et à se faire mutuellement du bien. Grâce à cette tendre exploration de l'intimité de soi et de l'autre, on est prêt à larguer les amarres et à commencer la mystérieuse traversée de l'amour.

Choisir le bon moment

Prendre son temps et choisir le moment le plus favorable pour faire l'amour favorise la concentration, rend plus réceptif à l'autre et intensifie ainsi le plaisir de l'amour à deux. Il importe de tenir compte de ses préférences en la matière. D'aucuns préfèrent le matin, d'autres le soir... Il y a aussi les adeptes de la « sieste crapuleuse », qui la considèrent comme le meilleur moment de la journée pour se laisser aller aux doux plaisirs de l'amour. Plaisir accru par le simple fait d'imaginer que l'entourage s'agite, travaille ou court après le temps tandis que l'on vit ce moment « presque interdit » et délicieux.

HUMER SA PEAU ME PLAÎT

« Je sens son odeur

et j'aime son parfum naturel et poivré.

Cela m'indique chaque fois

que je suis amoureuse. »

Marie-Claire

Rien ne vaut les « travaux pratiques » pour apprendre à bien faire l'amour

Les informations sur la sexualité abondent de toutes parts, dans les livres, les guides, les magazines, à la radio, sur Internet... et ne nous apprennent pas forcément à bien faire l'amour. On nous explique ce qu'il faut faire pour éviter tel ou tel risque ou les bonnes techniques pour avoir plus de plaisir.

L'acte sexuel s'enrichit au fil des nouvelles expériences et progresse avec une connaissance aiguisée de soi et de l'autre. C'est en faisant l'amour qu'on apprend à le faire. Des caresses inconnues, délicieuses voire audacieuses, des paroles coquines, suggestives, amoureuses... peuvent nous aider à rompre avec des attitudes familières et nous amener à exprimer plus de créativité. Nos désirs les plus cachés vont pouvoir s'exprimer dans l'abandon et la confiance. À l'écoute de soi et de l'autre, sans peur d'être jugé, on sortira plus facilement de ses frontières habituelles à la conquête d'une liberté tant physique que psychique.

Des rapports sexuels plus harmonieux

En Inde, les femmes pratiquent couramment une technique appelée *mula bandha* qui leur donne, même lorsqu'elles sont ménopausées, un vagin souple, musclé et lubrifié et qui leur permet d'améliorer la vie sexuelle de leur couple. Ce travail musculaire leur apprend à resserrer le vagin jusqu'à ce qu'il enserre le pénis comme une main, l'ouvrant et le fermant selon leur bon plaisir. Non seulement elles en bénéficient, mais cela leur donne en plus un atout de séduction majeur.

⋯⫶ Comment pratiquer ?

Asseyez-vous en tailleur, la colonne vertébrale bien droite. Fermez les yeux. Imaginez qu'une amande est posée sur le sol entre vos grandes lèvres. Inspirez et contractez progressivement le plancher pelvien de manière à saisir de façon imaginaire l'amande avec vos lèvres. Serrez aussi fort que possible la zone génitale, en bloquant votre souffle pendant au moins 6 secondes. Vous aurez tout d'abord la sensation de resserrer l'amande puis de la soulever. Ensuite, en expirant lentement, relâchez délicatement vos muscles afin de re-déposer l'amande au sol puis de la lâcher en décontractant votre périnée. Une grande détente s'ensuivra, accompagnée d'une onde de chaleur. Répétez cet exercice au moins cinq fois d'affilée. Quand vous saurez contracter votre périnée à volonté, vous arriverez à développer des sensations nouvelles.

⋯⫶ Dans la vie courante, vous pouvez plus simplement contracter votre périnée en inspirant et le décontracter en expirant, chaque fois que vous y pensez : dans les transports en commun, au restaurant, quand vous faites votre toilette, avant de vous coucher... En vous entraînant régulièrement, sans finalement faire beaucoup d'efforts, vous sentirez progressivement que votre périnée se renforce et vous ne tarderez pas à en mesurer les effets. Ce sera plus jouissif pour vous comme pour lui.

Ce moment sublime où les émotions explosent

L'orgasme, ce court moment d'explosion qui secoue notre corps, ne se résume pas à ces quelques secondes de plaisir intense mais il est le prolongement de tout ce qui a précédé. Au cours de l'acte sexuel, nos émotions se manifestent non par des mots mais par des sensations de frissons, d'excitations, de tensions, d'abandon, de sourires, de rire parfois, de larmes... C'est pourquoi la manière dont on s'écoute et dont on laisse libre cours à ses émotions revêt une importance capitale. On est avant tout Émotion. Une profonde sensation de légèreté et de pure détente se répand en soi. On vient de faire un merveilleux voyage.

Être sur son petit nuage après une nuit d'amour !

Le corps et le cœur légers, on se promène au milieu d'une foule indifférente, avec l'impression étrange d'être différent, d'éprouver une sensation unique que d'aucuns nous envieraient. On a l'impression de détenir un secret précieux et on veut le garder pour soi. Et on a également envie de dire à la terre entière qu'on est heureux !

Notez vos petits bonheurs sur cette page

Notez vos petits bonheurs sur cette page

Avec autrui

Du sens à sa vie grâce aux autres

Être prisonnier de son passé, trop concentré sur le présent ou constamment tendu vers l'avenir nous fait perdre la direction de notre existence. Cependant, tout autant que l'équilibre de ces trois dimensions du passé, du présent et de l'avenir, inscrire notre activité du moment dans un projet qui nous tient à cœur, dans une croyance ou dans nos valeurs familiales, nous donne le sentiment que notre vie a du sens. Ainsi, si notre enfance a été bercée par une éducation axée sur le respect de l'autre ou de l'environnement et que nous avons l'opportunité de nous investir dans un projet de cette nature, nous le défendrons avec une motivation d'autant plus grande qu'il s'ancre dans notre culture familiale. Nous aurons le sentiment d'accomplir une action essentielle pour notre existence.

Aller à la rencontre de l'autre

J'aime découvrir une nouvelle personne, débarrassée de tout a priori et de l'envie de lui coller une étiquette. Je m'applique à effacer tout ce qui pourrait nuire à mon écoute, je suis toute neuve pour elle comme elle l'est pour moi. Et là, je me laisse surprendre par ce que l'autre est réellement. Il me parle et je découvre toutes ses richesses. Je ne les aurais pas remarquées si je l'avais d'emblée jugé fragile, bavard, ennuyeux, hautain, timide ou fade… Il me fait alors le plus beau cadeau : il me parle de lui !

L'art suprême de la conversation

Magie d'une conversation de haute volée où les mots forment des arabesques, dansent, pétillent, s'entrechoquent, dans un art totalement éphémère qui s'envole dans l'instant. La grammaire et le vocabulaire forment alors un véritable feu d'artifice qui s'embrase autour de belles phrases, précises, poétiques, percutantes, aussi fugaces qu'intenses… et qui retombe aussitôt, laissant la trace d'une intensité suprême. J'aime imaginer la joie éprouvée au XVIIIe siècle par les gens qui fréquentaient les salons littéraires et qui maniaient avec virtuosité un langage pur, châtié et en faisaient une véritable œuvre d'art. Je me régale encore à relire Diderot,

Voltaire, Montesquieu, Rousseau, à écouter certaines conversations à la radio ou à voir ou revoir au cinéma des séquences où les dialogues volent haut !

Respecter les personnes âgées rend heureux

Pour la plupart d'entre nous, le souvenir de nos aïeux a nourri nos pensées d'enfant, notre imaginaire, nos sentiments, et peut-être même nos choix d'aujourd'hui. Il peut aussi nous aider à changer le regard que nous portons sur les personnes âgées comme nous le montrent encore certaines cultures, en particulier africaine ou orientale, où la plus grande considération leur est portée. Elles sont respectées, aimées et vénérées par les plus jeunes et représentent un exemple à suivre.

Il y a du bonheur à résister à la pression qu'exerce sur nous une société trop éprise de jeunisme et à maintenir le lien avec les personnes âgées ainsi qu'une grande considération à leur égard. Les traiter avec respect, comme on aimerait l'être à leur âge, s'inspirer de leur modèle, de leurs expériences, de leur sagesse et tout faire pour favoriser des liens entre eux, la famille et nos amis par exemple, apporte mille félicités ! Car, comme l'enseigne Confucius, philosophe chinois (v. 555-v. 479), c'est dans les plus âgés que nous puisons nos origines et en les respectant que nous trouvons notre place.

Savoir s'entourer

Il nous arrive d'éprouver ce « je ne sais quoi » de désagréable, de discordant, avec certaines personnes, a priori sans raison. Un malaise, parfois léger, parfois plus prononcé, s'installe au point que, même si nous voulons surmonter cette gêne et établir une relation correcte, nous avons du mal à faire taire nos émotions. Difficile de savoir pourquoi nous éprouvons ce sentiment d'infériorité, cet agacement, cette envie de crier, cette sensation de mal respirer... En tout premier lieu, il s'agit d'en prendre conscience en se demandant : « Comment est-ce que je me sens dans cette relation ? »

D'après Lilian Glass, psychothérapeute, des personnages toxiques de notre enfance se cachent derrière ces figures qui nous placent à notre insu dans une situation d'échec, de souffrance ou d'infériorité. Pour en sortir, il importe de repérer à quelles personnes toxiques de notre petite enfance ces personnes nous font penser. Quand nous les avons identifiées, il devient alors possible de prendre la distance nécessaire pour se protéger et communiquer avec elles sans nous mettre en danger. Rien de tel pour ressentir un réel soulagement, en particulier quand les relations sont suivies...

De l'intimité avec un inconnu

À la suite d'une réunion professionnelle, nous repartons dans le même taxi et échangeons agréablement sur cet événement ainsi que sur nos métiers respectifs. Avant de prendre congé, il me propose de déjeuner avec lui la semaine suivante. J'accepte volontiers, conquise par son sourire franc, ses yeux pétillants et sa gentillesse. Nous nous retrouvons quelques jours plus tard à la terrasse d'un café. D'emblée, les mots jaillissent, vrais, spontanés, fluides comme portés par une confiance immédiate. La vie nous autorise parfois avec certaines personnes à aller immédiatement à l'essentiel, sans détours, et à partager en toute simplicité une qualité d'échange dont l'intimité et la réciprocité nous étonnent !

- Faire plaisir à quelqu'un, dire un mot gentil,
  faire un compliment sincère
- Engager la conversation avec les personnes que l'on croise
- Sourire à un(e) inconnu(e)
- Effleurer un ou une inconnue : sentir sa chaleur, son odeur,
  imaginer ce qu'il ou elle est
- Faire les courses d'une personne âgée
- Rendre un service sans attendre un retour
- Prendre le temps de regarder quelqu'un
- Ouvrir ses placards et donner avec son cœur
  tout ce que l'on ne porte plus ou que l'on n'utilise pas
- Les bienfaisantes paroles de gens que l'on rencontre
- Dire merci
- Bavarder dans les bars, les pubs, les bistrots...

Notez vos petits bonheurs sur cette page

Notez vos petits bonheurs sur cette page

PRENDRE SOIN DE « NOTRE » PLANÈTE POUR VIVRE PLUS HEUREUX

Le monde qui nous entoure
est aussi injuste qu'imparfait,
mais nous pouvons malgré tout agir
pour le rendre meilleur.

Ce chapitre pourrait être contenu dans le précédent. Car s'occuper de la planète, c'est avant tout prendre soin des autres. On ne peut plus aujourd'hui consommer sans penser aux conséquences pour notre entourage immédiat et lointain.

On nourrit parfois l'envie secrète de revenir à une époque où l'homme n'avait pas encore abîmé la nature. La prise de conscience grandissante d'une planète à la merci du commerce et de l'inconséquence de l'homme nous amène progressivement à vouloir être partie prenante de la nature et relié au cosmos. Le monde qui nous entoure est aussi injuste qu'imparfait, mais nous pouvons malgré tout agir pour le rendre meilleur. Il est encore possible de troquer notre rôle de spectateur pour celui d'acteur, afin d'aider notre planète à reprendre sa place dans notre vie. Ne soyons donc ni pessimiste ni optimiste mais seulement déterminé à être utile pour notre Terre ! Chaque geste de « bon citoyen de la planète » permet de se sentir utile au monde dont on fait partie, d'apporter sa modeste mais néanmoins salutaire contribution à moins gaspiller et à mieux consommer et nous procure en retour la joie d'utiliser des produits bien meilleurs pour notre santé et pour celle de nos enfants.

Les petits gestes
à provoquer

Cela vaut la peine de verser une goutte d'eau dans l'océan

On ne sait pas toujours par quel bout s'y prendre pour agir. Car, entre le réchauffement de la planète, la disparition de la biodiversité, l'apparition de nouveaux virus, le manque de pétrole et la pénurie d'eau, les scénarios catastrophes ne manquent pas. L'immensité des tâches à accomplir dans le monde entier pour changer nos habitudes en matière de pollution et de dégradation de la nature a de quoi nous décourager. Et pourtant il faut se dire qu'une petite goutte d'eau, si infime soit-elle, a son importance, c'est essentiel pour progresser soi-même et faire progresser le monde. Chaque geste réalisé chez soi et autour de soi rejoint le flot des actions bienfaitrices réalisées par d'autres gens de bonne volonté et contribuent à changer le monde.

Comme le souligne sœur Emmanuelle à propos de son dernier livre : *« C'est certainement une goutte d'eau que je verse dans l'océan, mais je continuerai à verser une goutte dans l'océan ! »*

Agir en consommateur responsable

Notre société marchande nous promet le bonheur... Elle nous apporte des satisfactions éphémères qui nous donnent sans doute des raisons d'espérer des jours meilleurs et nous « consolent » sur le moment des difficultés de la vie. Mais nous savons que cette consommation exacerbée, et par conséquent le gaspillage gigantesque qui en découle, pèse sur l'avenir de notre planète et de nos enfants. Or, au lieu de participer à ce phénomène menaçant pour tous, nous avons la possibilité de lutter individuellement par des petits gestes quotidiens de consommateur averti et responsable.

Par exemple :
···} lire la composition des produits que l'on achète et opter pour les plus naturels ;

⋯⟩ acheter des produits biologiques pour se nourrir, pour se soigner, pour entretenir sa maison et son linge ;

⋯⟩ utiliser du vinaigre aromatisé à la lavande pour éloigner les moustiques à la place d'une bombe insecticide, etc.

Par ces actes de consommation concrets et quotidiens, nous nous relions à la conscience universelle portée par cette nécessité de protéger la planète. Certes modestes, ces gestes écologiques nous apportent ce supplément d'âme qui rend heureux !

Du plaisir à prendre soin de la planète

L'eau ne coule pas à flot sur l'ensemble du globe. Ce précieux liquide se raréfie d'ailleurs. On le sait, dans un avenir proche, tous les pays connaîtront une pénurie. Chaque litre d'eau que l'on utilise chez soi a été prélevé dans le milieu naturel, c'est-à-dire extrait d'une rivière, d'un lac ou d'une nappe phréatique. En Occident, on a progressivement oublié qu'avoir l'eau au robinet est un luxe et que son utilisation sans limite pèsera à la longue sur l'ensemble de la planète. À l'instar de nos anciens, il y a du bonheur à considérer l'eau comme un bien précieux. Car économiser l'eau et éviter de la polluer redonne du sens à notre consommation quotidienne.

De même, l'électricité fait partie de notre paysage quotidien. On branche un appareil électrique et il marche, on appuie sur un interrupteur et la pièce s'éclaire... Il n'en est pas de même partout dans le monde. Dans certains pays, l'énergie, tout comme l'eau, ne coule pas de source.

C'est pourquoi s'interroger sur ce qui nous semble « couler de source », comme l'eau ou l'électricité, est le point de départ d'une nouvelle conscience planétaire. En considérant que l'eau et l'électricité sont des biens irremplaçables, on va consommer de façon différente avec un sentiment d'appartenance et d'utilité à la planète. Chaque fois que nous allons introduire une conscience aiguë de cette nécessité dans nos gestes machinaux, nous contribuerons à mieux consommer et à moins polluer, et nous serons heureux d'avoir été utiles à notre planète !

⋯⟩ La douche quotidienne à l'honneur

On consomme en moyenne 50 litres d'eau pour une douche, alors qu'on utilise 150 litres d'eau pour le bain. Le calcul est simple, on consomme trois fois moins d'eau en prenant une douche, surtout si l'on se savonne en arrêtant le jet du robinet. Il va de soi que la douche quotidienne est préférable au bain, sans pour autant l'exclure. Imitons les Japonais qui prennent chaque jour une douche et se glissent une fois par semaine dans un bain qui reste un lieu de relaxation incomparable, voire même un acte thérapeutique.

⋯⟩ Économiser l'eau pour tout lavage

Voici quelques chiffres de consommation d'eau dans la vie courante :

• chasse d'eau : 6 à 12 litres ;
• vaisselle à la main : 10 à 20 litres ;
• lave-vaisselle : 25 à 40 litres ;
• lave-linge : 70 à 120 litres ;
• robinet qui fuit : 120 litres par jour ;
• lavage d'une voiture : 200 litres…

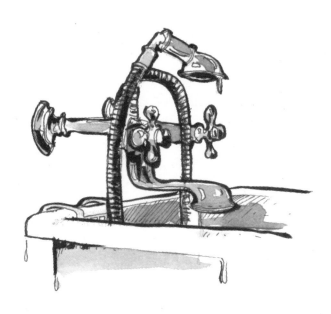

····⟩ On peut faire des économies d'eau en gérant mieux son utilisation quotidienne. Par exemple, fermer le robinet quand on se brosse les dents, quand on savonne ses mains ou quand on nettoie une casserole. Réduire la pression et ouvrir le robinet pour une utilisation bien précise, l'humectation ou le rinçage par exemple. Choisir un lave-linge ou un lave-vaisselle économe et faire tourner ce dernier seulement lorsqu'il est plein. Utiliser une chasse d'eau à deux vitesses qui limite la consommation d'eau ou ne la tirer qu'une fois sur deux pour les « petits besoins ».

····⟩ Et si l'on évite de jeter dans l'évier, dans les lavabos ou les toilettes des produits chimiques, des médicaments et autres toxiques et qu'on utilise des détergents, des engrais et des pesticides biodégradables, on a la satisfaction de participer – à son niveau – au grand cycle de l'eau.

NE RIEN PERDRE
J'imite ma grand-mère en récupérant l'eau de rinçage
de la salade pour la verser dans un pot de fleurs.
De même, je récupère l'eau du bol dans lequel mon chat
a bu et je la verse dans le bac à plantes.
Chaque fois que je le fais, j'ai le sentiment d'avoir apporté
ma pierre à l'édifice planétaire...

Marcher en ville plutôt que prendre sa voiture

Marcher exprime en premier lieu mon refus de participer à la pollution ambiante et c'est déjà une grande satisfaction. Je choisis, quand je le peux, un itinéraire moins pollué et plaisant qui m'enchantera durant cette promenade à la recherche d'un square ou d'un jardin à traverser plutôt que longer une avenue bruyante.

Quand je marche d'un bon pas, je me concentre sur ma respiration, sur le rythme de mes pas ainsi que sur mes sensations. Mon cerveau s'oxygène et mes pensées progressivement s'apaisent. La marche est un formidable moyen pour lutter contre le stress. De nouvelles idées surgissent, comme si ce balancement du corps favorisait leur éclosion.

J'aime aussi flâner, me perdre dans la ville, sans itinéraire bien précis. Je me laisse guider par mon instinct, je découvre une nouvelle place, je musarde dans de vieux quartiers, je longe de belles façades, je m'arrête sur une vitrine, je fais des rencontres… En bref, je m'offre le luxe d'une promenade aux multiples étonnements qui enchantera mon quotidien.

Être citoyen du monde en réduisant ses déchets et en les triant

C'est au moment de l'achat d'un produit que l'on doit penser au recyclage des déchets. Sachez que la durée de vie d'un mégot de cigarette est d'un à deux ans, des sacs et bouteilles en plastique de quatre cent cinquante ans et celle de la bouteille de verre de trois mille ans ! Une partie de ces déchets est bien sûr recyclée, mais pas la totalité.

On aura ainsi à cœur de privilégier le vrac au conditionnement individuel des produits, à utiliser un cabas plutôt que des sacs plastique pour transporter ses courses, à réparer plutôt que jeter un objet, à bien réfléchir à l'achat d'un produit même courant car il a des conséquences pour notre planète… Ainsi, certains d'entre eux ne sont pas recyclables comme la vaisselle en terre cuite ou en porcelaine, les miroirs, les vitres, les ampoules électriques, les petits pots de yaourt ou de crème, les couches-culottes, le papier carbone… Ils font pourtant partie de notre paysage quotidien.

On peut réduire sa consommation de produits en utilisant plusieurs fois les mêmes produits comme les éponges, les serpillières et chiffons à la place de lingettes ou de papier essuie-tout qui, s'ils réduisent l'utilisation de l'eau, restent difficiles à recycler et coûtent cher...

BIEN UTILISER LES RESTES DE NOURRITURE

J'aime utiliser les restes d'une viande pour faire
des tomates farcies ou de légumes cuits à la vapeur
pour les incorporer à une tarte. De même, à l'instar
de ma grand-mère, j'écrase au pilon des restes de pain
et j'en fais une chapelure qui sera précieuse pour réaliser
une panade ou épaissir un potage trop clair.
Grande est ma satisfaction de ne pas avoir gaspillé la nourriture.

- Faire attention une fois par jour à préserver notre environnement
- Ne rien jeter dans la nature ou dans la rue
- Utiliser un panier pour faire ses courses
- Prendre son vélo, utiliser un scooter électrique
- Faire des choses soi-même : pâte à tarte,
  faire pousser des herbes aromatiques à l'ancienne...

LES GRÂCES QUE LA NATURE NOUS REND

- Retrouver le goût subtil d'une tomate bien mûre,
  cultivée sans engrais chimiques
- Admirer la clarté d'une eau pure (lac, mer, rivière...)
- Respirer le bon air en marchant en pleine nature
- Boire une tisane et bien digérer
- Manger un fruit biologique sans en ôter la peau et se régaler
- Une peau lumineuse grâce au masque à la fraise...

Notez vos petits bonheurs sur cette page

Notez vos petits bonheurs sur cette page

LES PETITS
BONHEURS
VIENNENT DE SOI

Vivre léger

« Regarde tout ce qui t'entoure comme les meubles d'une chambre d'hôtel. »

SÉNÈQUE, HOMME POLITIQUE ET PHILOSOPHE (4-65)

Deux mille ans plus tard, sa parole nous invite avec la même nécessité à vivre simplement. Nos sociétés de consommation ne cessent d'être gagnées par une agitation permanente et le besoin du « toujours plus » : plus d'activités, plus de travail, plus de loisirs, plus de nourriture, plus de plaisirs, plus de voyages, plus d'objets superflus... Au lieu de nous combler, ces choses matérielles nous occupent, nous encombrent, nous pèsent parfois au point qu'on finit par oublier l'essentiel : se perfectionner dans tous les domaines, en particulier sur le plan psychologique, moral et spirituel. Il y a du bonheur à s'alléger le plus possible, à se sentir prêt à suivre le mouvement de la vie, sans chaîne et sans boulet, à voyager dans la vie, libre et débarrassé de tout chargement inutile...

Cultiver sa richesse intérieure

S'appliquer à développer ce que nous sommes rend heureux. Car œuvrer chaque jour pour mieux se connaître, bonifier son caractère, tout faire pour être en bonne santé, développer son esprit, son intelligence, sa sensibilité, l'amour d'autrui, contribuera bien plus au bonheur de vivre que la conquête de biens extérieurs. La richesse intérieure n'est ni temporaire, ni occasionnelle mais s'inscrit dans la durée et la persistance. On peut y recourir quels que soient les événements de notre existence. Ces derniers sont en réalité moins importants que la manière dont on les vit. C'est pourquoi notre salut réside dans l'investissement que nous consacrons chaque jour à épanouir notre être.

« Qu'est-ce que j'attends pour être heureux ? »

Si l'on devait se poser une seule question, ce serait celle-là. C'est avec cette question que le musicien Artur Rubinstein a changé le cours de son existence. Jusqu'à l'âge de vingt ans, il était hanté par l'angoisse de la mort, ne songeant qu'à celle-ci. Et cette question lui est venue comme une révélation fulgurante, l'aidant à se débarrasser de ses tourments. Désormais, il fit du bonheur un défi qu'il se lança chaque jour jusqu'à sa mort, et ce malgré les épreuves difficiles de la vie. Il importe en effet de croire en sa bonne étoile et de parier sur sa capacité à être heureux !

Affirmer qu'on aime sa vie !

Accepter les soucis, les problèmes de santé, les difficultés professionnelles, les manques…, comme inhérents à notre existence et s'exercer à voir les choses du bon côté font partie du « mode d'emploi » qui mène au bonheur. Car, soyons-en certains, les obstacles sont une formidable opportunité de grandir ! De même, si nous nous focalisons sur les atouts de notre vie présente plutôt que sur nos manques, nous serons plus satisfaits de ce que nous vivons. Car nous le savons bien, dès que nous satisfaisons un manque, un nouveau besoin apparaît et nous rentrons ainsi dans la spirale de la déception. Or, reconnaître ce que l'on a et l'apprécier à sa juste valeur permet d'aimer sa vie. Il est tout aussi important de l'affirmer pour l'effet stimulant que cette phrase positive développe en soi et sur son entourage. Alors n'hésitez pas à le dire !

La futilité n'est pas un défaut !

Bien au contraire… La futilité est la soupape de sécurité qui nous permet de ne pas « craquer » dans certaines circonstances difficiles et de faire provision d'oxygène ! Notre équilibre se crée dans ce dosage subtil que nous saurons établir entre le sérieux et le futile. *« Rien n'est poison, tout est poison, seule la dose fait le poison »*, précisait Paracelse, astrologue, chimiste et médecin suisse de la Renaissance.

En fin de journée, quand on se sent épuisé, ça fait du bien de parler « chiffons » avec une copine ou de sport avec un ami, de lire une bande dessinée, de regarder un feuilleton à la TV, de lire une recette de cuisine, de boire un verre à la terrasse d'un café, de parler de tout et de rien avec son voisin…

La futilité, le petit plus indispensable pour ne pas se prendre au sérieux !

Vive les broutilles !

« Il faut un certain état de bien-être pour être sensible à des bagatelles ; dans le malheur, on ne les sent pas du tout. » ARTHUR SCHOPENHAUER, PHILOSOPHE ALLEMAND (1788-1860), *APHORISMES SUR LA SAGESSE DANS LA VIE*

S'intéresser aux plus petits événements apporte plus de joie qu'on ne le croit. Car enfin, on ne perd pas son temps à observer la lumière du soleil déclinant, à écouter un inconnu, à admirer la couleur pourpre des feuilles d'automne... Ces bagatelles, comme les qualifie Arthur Schopenhauer, attestent que l'on est déjà dans une bonne disposition d'être. De surcroît, si l'on pose tranquillement son regard sur ces choses anodines, on développe sa curiosité et on se régénère au quotidien. À la terrasse d'un café, j'aime observer les détails d'un visage, d'un vêtement, d'une attitude, le son d'un voix, un mot... juste pour le plaisir de laisser mon esprit vagabonder et de me laisser surprendre.

Se lancer des défis « raisonnables » pour pimenter ses activités quotidiennes

On peut vivre un moment de joie extraordinaire en admirant un paysage ou en écoutant un air d'opéra, sans grande raison apparente. Mais on peut éprouver un sentiment analogue quand on accomplit des activités physiques et mentales d'une certaine difficulté, à la condition que nos défis correspondent à nos capacités. Car si l'exercice est trop facile, on s'ennuie, et s'il est trop difficile, on se décourage et on ne peut donc pas vivre une expérience gratifiante.

Dans notre vie de tous les jours, des milliers de défis à notre portée s'offrent à nous dans des activités physiques et mentales des plus anodines aux plus difficiles : jouer au sudoku, déchiffrer une partition, traduire un texte en anglais, retenir un poème que l'on aime, maîtriser sa conscience en faisant une posture de yoga, écrire un compte-rendu ou faire son budget familial, etc., sera un jeu d'enfant pour certains et un enjeu pour d'autres.

On peut décider de savourer le goût des aliments que l'on ingurgite et de percevoir les nuances de chaque ingrédient au lieu de manger mécaniquement en pensant à autre chose. Marcher cinq minutes en écoutant sa respiration, masser les pieds de son enfant, attentif à lui donner du plaisir et à bien distinguer les sensations que ce massage lui procure, faire un brin de ménage en transformant une tâche courante en un acte qui agrémente la vie chez soi, réaliser une recette de cuisine en s'attachant à développer une saveur toute particulière, etc. !

Dans le domaine de la compétition ou du travail, un coureur essaiera de battre son propre record en faisant des tours de stade, un chanteur va tout faire pour réussir à chanter un passage délicat, un cordonnier s'emploiera à refaire un talon plus élégant ou plus solide que celui d'origine, etc.

Une étincelle dans l'obscurité

Parfois, certaines paroles, certaines lignes nous frappent par leur vérité ou leur sagesse et nous transforment un instant. La vie nous apparaît soudainement autre. C'est la sagesse qui entre ! Une lumière nouvelle éclaire notre pensée, c'est un peu comme sortir d'une longue léthargie. Ces merveilleux instants de lucidité se produisent quelquefois, mais on finit par se rendormir.

····⟩ Lorsque nous avons la perception claire d'une idée, tâchons de la retenir. Soyons comme ce conducteur qui manque de s'endormir au volant et se ressaisit tout à coup. Dès que notre conscience est interpellée par une idée, traitons-la immédiatement, décidons des changements, prenons des décisions.

····⟩ Le réveil spirituel se nomme en hébreu *téchouva*, terme qui signifie littéralement « retour », « redressement ». Considérez les dégâts que vos fautes ont causés et évaluez ce que vous y avez perdu.

····⟩ Non, vous n'êtes pas trop vieux pour changer. Trouver la vérité et vivre en accord avec elle est toujours possible. Si vous vous dites que vivre les yeux ouverts est votre combat, alors bougez-vous et gagnez.

····⟩ La lutte pour la vie est une lutte contre l'endormissement.

····⟩ Dites-vous que la vie est belle, sinon le sommeil vous paraîtra toujours plus séduisant.

····⟩ Exigez le maximum de votre corps, sans pour autant vous faire du mal.

····⟩ Ne laissez pas passer les bonnes occasions ou les bons moments en dormant trop.

⋯⟩ Quand un projet vous emballe, votre créativité et vos facultés mentales fonctionnent à plein régime.

⋯⟩ Méfiez-vous du « zombisme ». Ne laissez jamais le vide s'installer dans votre tête.

Se réfugier dans la poésie...

« Et quand tu m'auras lu, jette ce livre – et sors. Je voudrais qu'il t'eût donné
le désir de sortir – sortir de n'importe où, de ta ville, de ta famille, de ta chambre,
de ta pensée. N'emporte pas mon livre avec toi. Qu'il t'enseigne à t'intéresser
plus à toi qu'à lui-même – puis à tout le reste plus qu'à toi. »
ANDRÉ GIDE, ÉCRIVAIN FRANÇAIS (1869-1951), LES NOURRITURES TERRESTRES

Lire un poème est pour moi un pur moment de bonheur. Une note magique suspendue dans une réalité quotidienne parfois difficile qui me transporte dans un monde sensible et lumineux et m'ouvre sur les beautés de l'univers. À l'instar de la nature, j'y trouve refuge et silence pour mieux repartir ensuite dans la journée.

J'aime particulièrement me ressourcer dans les poèmes de Rainer Maria Rilke. Ce poète né à Prague en 1875 et mort en 1926, vécut en exilé volontaire, sans adresse fixe, sans attache, sans emploi, sans biens matériels, au gré de son vagabondage en Europe. Le courage d'une vie entièrement consacrée à son art et la délicatesse de sa poésie me touchent singulièrement. En effet, si je relis le *Sonnet n° 22 à Orphée*, *Le Chant d'amour* ou encore *La Danseuse espagnole*... mes pensées s'apaisent. Me délectant sans retenue de ce délicieux moment de lecture, mon humeur s'en trouve véritablement régénérée.

Les empressés, nous sommes,

mais la marche du temps,

tenez-la comme rien au sein du permanent toujours...

EXTRAIT DU *SONNET N° 22 À ORPHÉE*

Comment tenir mon âme

afin qu'elle ne frôle pas la tienne ?

Comment la porter par-dessus toi

vers d'autres choses ?....

CHANT D'AMOUR

L'ennui, ça se cultive...

« Ennui. Rien n'est si insupportable à l'homme

que d'être dans un plein repos, sans passions,

sans affaires, sans divertissement. »

BLAISE PASCAL, PENSEUR ET ÉCRIVAIN FRANÇAIS (1623-1662), *PENSÉES*

Pascal souligne cette peur que nous éprouvons souvent à l'égard de l'ennui. Fuir en « meublant » son temps par des emplois du temps surchargés semble être la réponse la plus répandue. Ainsi nous veillons à ce qu'il n'y ait aucune infiltration de ce désœuvrement dans nos vies. Car saurions-nous chasser l'ennui ? Cependant l'ennui est loin d'être simplement négatif. Il est, comme l'est toujours le négatif, la condition indispensable d'autre chose. Hegel, philosophe allemand (1770-1831), l'a bien dit, l'ennui est en effet nécessaire pour qu'on apprenne à le chasser en trouvant une occupation qui a du sens pour soi. Ne rien faire, c'est commencer à être. Dans l'inaction, le silence, l'absence de programme, on peut alors découvrir sa richesse intérieure. En se donnant le temps de prendre conscience de ses besoins, de ses aspirations, on leur accorde une place dans sa vie. Et l'on devient moins dépendant du besoin des autres, plus résistant à leurs sollicitations et plus proche de soi. On apprend ainsi progressivement à cultiver sa vie, à la savourer lentement. On se met à mastiquer longuement chaque petit moment, chaque interrogation, chaque jaillissement de ses désirs. On apprend à mieux se connaître dans le silence de soi. Un rendez-vous à ne manquer sous aucun prétexte si l'on veut vivre sa vie et pas celle des autres.

Décider d'être seul

De la même façon, la solitude fait peur ! Nombreux sont ceux qui l'assimilent à la tristesse, à l'isolement, à l'abandon, à l'égoïsme, à l'éloignement, au célibat... N'oublions pas que ce dernier est un état civil et non pas un état d'isolement.

Or se soustraire aux occupations ou aux distractions qui accaparent notre esprit a parfois du bon. Depuis l'Antiquité, de nombreux philosophes nous invitent à cultiver la solitude pour être plus heureux. Dans ce moment choisi ou imposé par les circonstances, on se donne enfin l'opportunité de vivre un grand moment d'intimité avec soi-même : on peut s'évader en soi, faire le point, s'écouter, se faire plaisir... On réapprend à utiliser ce temps passé seul avec soi de façon pertinente. On s'accorde la permission d'être intensément soi, étape nécessaire pour aller vers les autres et bien communiquer ! Par exemple, prendre un bon livre, s'allonger sur son lit en rêvant, écrire, dessiner, se faire un masque de beauté, une manucure, ranger sa bibliothèque, ne rien faire du tout, ou bien sortir et s'asseoir à la terrasse d'un café, aller au cinéma, se promener dans un jardin, marcher, etc., tout cela peut être fort agréable ! Ce qui fait du bien, c'est de jouir pleinement – c'est-à-dire en toute conscience – de cette permission et de faire ce que l'on veut, y compris de ne rien faire. Décider de cette liberté et la vivre nous donne de la joie et de nouvelles ressources pour la partager ensuite avec d'autres !

Choisir d'être libre plutôt que de consommer tout de suite

On m'a raconté comment les chasseurs capturaient les singes dans la forêt. Pour les attraper, les chasseurs mettaient des friandises au fond d'une boîte fermée par un goulot étroit et la fixaient au bout d'une branche. Le singe s'approchait de cette curiosité et, apercevant les friandises au fond de la boîte, allongeait sa main pour les prendre. Il resserrait la main et quand il voulait la retirer, il ne pouvait pas la sortir car elle s'était transformée en poing. Il avait le choix entre lâcher ses friandises pour sortir sa main de la boîte et ainsi échapper au piège ou bien garder ses friandises en maintenant sa main dans la boîte et perdre sa liberté. Les chasseurs n'avaient plus qu'à retirer la boîte et capturer le singe. La friandise donne un plaisir immédiat, y renoncer offre la liberté. De même, l'homme veut souvent posséder les choses au mépris de sa liberté. Ce désir de possession immédiate l'empêche d'avoir une vision lointaine des choses.

Répondre immédiatement aux tentations de notre société de consommation grève nos porte-monnaies et nous enchaîne à une spirale du « consommer toujours plus ». Limiter ses achats à ce que l'on désire vraiment et se dire à chaque sollicitation « En ai-je vraiment envie, est-ce le bon moment d'acheter ? » apporte la satisfaction d'avoir résisté et de se dire que finalement on n'en n'avait pas réellement envie ni besoin. Qui n'a pas fait l'expérience de ces petits bonheurs issus de renoncements ? Ainsi, j'aperçois dans la vitrine d'une boutique une très jolie paire de boucles d'oreilles – mon péché mignon. J'entre et j'essaie les boucles, les trouvant tout à fait seyantes et soudain indispensables. Je suis prête à les acheter immédiatement, puis me ravise un quart de seconde afin d'y réfléchir un peu plus. « Cette paire va s'ajouter à celles que j'ai déjà et je veux être certaine que cet achat va me procurer un réel plaisir. » Je sors de la boutique, me promettant d'y revenir si ce désir persiste. Le plus souvent, j'oublie ce bijou quelques minutes ou quelques heures plus tard, éprouvant à la place une grande satisfaction d'avoir renoncé à cette tentation. Ce renoncement peut être appliqué à de nombreux domaines, y compris à celui des provisions de la maison : « Est-ce nécessaire d'acheter ces gâteaux, cette bouteille de Coca-Cola en promotion, ces trois paquets de jambon pour le prix de deux... » La liberté, c'est de garder la bonne distance avec un achat quel qu'il soit. Ni se culpabiliser ni foncer, en donnant la part belle à des projets qui nous font vibrer, qui nous font vraiment plaisir ou qui nous tiennent à cœur.

L'exigence au rendez-vous de chaque journée

« Le Maître dit : "L'honnête homme est exigeant envers soi,
l'homme vulgaire est exigeant envers autrui." »

CONFUCIUS, PHILOSOPHE CHINOIS (V. 555- V. 479 AV J.C.)

Vous l'avez compris : l'attachement excessif aux biens matériels nous éloigne du but essentiel de notre vie qui est celui de nous perfectionner. Les grands sages taoïstes nous exhortent à apprendre à être pleinement humains, c'est-à-dire à nous construire chaque jour à partir de nos potentiels et à nous appliquer inlassablement à les développer. Cela n'est autre que le travail sur soi.

Voici quelques suggestions pour vous mettre sur la voie de ces petits exercices de transformation au quotidien :

---\} mener une tâche jusqu'à son terme, surtout si on a tendance à se laisser distraire facilement ;

---\} faire passer l'intérêt de son entourage avant le sien, pour les grandes comme les petites choses (le choix d'un film, d'une destination de vacances, d'un projet familial ou professionnel...) ;

---\} réfléchir à la réaction que l'on a eue la veille à propos d'un différend et la comprendre ;

---\} réussir à se faire entendre en y mettant les formes...

Chaque victoire sur soi-même fait progresser et rend son paysage quotidien plus intense, plus doux, plus agréable...

Le silence est d'or

Des écouteurs sur les oreilles, la radio, la chaîne hi-fi ou la télévision branchées en permanence évitent le face-à-face intimidant avec soi-même. Dans notre vie quotidienne, le bruit et le silence sont constamment mêlés l'un à l'autre. Le silence a, comme la parole, sa face négative et sa face positive. Sa face négative vient d'un grand bruit intérieur, celui que l'on éprouve quand c'est le chahut dans notre tête. On se tait, alors que l'on voudrait exploser de colère.

C'est de l'autre silence dont je veux vous parler, celui qui apaise et donne de la densité à ce que nous vivons. La pratique du silence s'apparente à un exercice comme les autres. Il s'obtient par un travail personnel, constant, rarement acquis. Il s'agit de déplacer, pendant quelques minutes, notre attention vers notre corps par une respiration consciente ou vers nos sensations physiques, le battement de notre cœur... Ce retour à la conscience du corps va nous aider à prendre de la distance avec nos pensées, en les laissant passer comme si nous en devenions l'observateur. Cette mise à distance favorise la concentration sur soi et nous amène petit à petit à ressentir la paix qui vient de l'intérieur. C'est de cette paix que va naître le vrai silence.

Le père Rérolle, professeur de yoga et de méditation zen, précise qu'il faut chercher beaucoup avant de le trouver. « On a cherché, cherché et on découvre qu'il est là. » On trouve le silence partout dans notre vie de tous les jours : on peut l'apprendre en marchant dans la rue, en écoutant sa propre respiration par exemple. On peut s'exercer au silence devant un beau paysage, dans la nature, mais aussi dans la journée, dans le métro, dans le bus, chez soi, au travail, en dépit du téléphone et des horaires... Et quand on le trouve, c'est merveilleux ! On peut hélas le perdre aussi très vite. Seules la persévérance et la régularité du « travail du silence » portent leurs fruits et les petits bonheurs qui vont avec !

Accepter son corps tel qu'il est

On se lamente d'avoir des hanches trop rondes, un nez disgracieux, un double menton ou des jambes comme des poteaux et on se focalise sur ce complexe au point d'en déformer la réalité et de gâcher notre existence. On a l'impression que les gens ne voient plus que ça ! Je me souviens qu'une femme complexée par son grand nez me racontait qu'elle changeait constamment de place dans le métro afin que les gens ne voient pas son profil. Une telle focalisation a peut-être un lien avec une ou des souffrances liées à cette partie du corps. Certains complexes pourront disparaître avec une meilleure connaissance de soi. On peut aussi transformer ses défauts et en faire un merveilleux atout. Une amie à la silhouette très ronde me disait avoir fini par trouver son style personnel en acceptant ses formes. Affirmant ainsi ses défauts, elle revendiquait tout simplement sa personnalité. Sa joie aujourd'hui est bien supérieure à ce qu'elle éprouvait, lorsque complexée par ses kilos superflus, elle passait d'un régime à l'autre, de plus en plus déprimée. Non seulement elle a su dépasser ce complexe, mais elle a réussi à le dompter pour en faire une qualité !

Le romanesque au quotidien

Tout part d'une petite chose qui, par le regard qu'on lui porte, devient extraordinaire. Avec la routine, nous ne voyons généralement plus la beauté de ce qui nous entoure. Traverser un jardin, un pont, longer un fleuve, surplomber la mer, apercevoir la campagne ou les cimes enneigées, sont des tableaux extraordinaires qui méritent d'être admirés comme au premier jour. Il m'arrive, lorsque je sors de la station de métro Opéra par un matin ensoleillé, d'être éblouie par le spectacle grandiose des statues dorées qui scintillent sur un fond de ciel bleu et de savourer ma chance d'être là, en ce moment précis. Cela vaut la peine chaque jour de faire un effort pour renouveler sa vision, pour garder son acuité, pour se forcer à la découverte et d'avoir ainsi le privilège de s'émerveiller de ce qui fait partie de notre décor.

Laisser libre cours à son imagination

« La voix de l'imagination et de l'âme est la seule
qui fasse retentir heureusement l'imagination et l'âme entière,
et un peu du temps que vous avez tué à plaire,
si vous l'aviez fait vivre, si vous l'aviez nourri d'une lecture
ou d'une songerie, au coin de votre feu l'hiver ou l'été dans votre parc,
vous garderiez le riche souvenir d'heures plus profondes et plus pleines. »
MARCEL PROUST, ÉCRIVAIN FRAÇAIS (1871-1922),
FRAGMENTS DE COMÉDIE ITALIENNE, LES PLAISIRS ET LES JOURS

Chez vous, vous pouvez voyager aussi loin que vous voulez et gratuitement ! Il vous suffit de fermer les yeux et de choisir votre destination ! En quelques secondes, votre imaginaire vous transporte alors au bord d'une plage de la mer des Caraïbes, sur la place Tian'anmen à Pékin, près d'une des trois pyramides de Gizeh en Égypte, sur une felouque pour une balade sur le Nil ou encore au pied du Kilimandjaro pour assister à un merveilleux coucher de soleil !

Pourquoi ne pas vous offrir les hôtels les plus somptueux, imaginer un décor pro-
digieux à votre périple imaginaire, rencontrer les personnages les plus extravagants
que vous ayez jamais croisés ?

Et faudrait-il aussi se morfondre de ne pouvoir s'offrir un tel voyage ou se contenter
d'espérer de le faire un jour, alors qu'en un seul coup de « clic mental » on fera un
merveilleux voyage ?

Un lâcher-prise par jour

Alors que tout nous pousse à faire preuve de plus en plus de combativité, à nous
entraîner à la compétition dans tous les domaines, à nous battre pour obtenir ce
que l'on veut..., je vais plutôt vous vanter le bonheur du lâcher-prise, car c'est un
moyen formidable pour accepter la vie, pour la vivre et la goûter pleinement.

Imaginez ce merveilleux instant où l'on arrive dans une chambre d'hôtel ou dans
une maison qu'on a louée pour les vacances et où l'on pose ses valises. On goûte
la joie toute simple de l'instant et on est complètement disponible à la découverte,
à la nouveauté. Le lâcher-prise, c'est ça !

Lâcher prise ne veut pas dire ne rien faire ou se désintéresser des choses. C'est se
mettre entre parenthèses dans le monde dans lequel on vit, sans pour autant s'en
extraire. On agit sans être en réaction et sans se focaliser sur une idée, un vouloir
ou un désir qui obscurcissent notre horizon. On devient présent au présent, avec
ses yeux, son odorat, son toucher, son ouïe. C'est avant tout un état d'esprit au
quotidien qui consiste à se mettre en résonance avec ce qui nous entoure, sans
résister. Ainsi l'on va dans le mouvement de la vie.

Voici quelques exemples de lâcher-prise que l'on peut effectuer chaque jour :
---⇾ au réveil, bien souvent les premières pensées qui nous viennent sont colorées des difficultés de la veille, d'un conflit, d'une déception avec l'un de nos proches. Eh bien, chas-
sons-les et mettons-nous dans l'action et l'humour, afin de ne pas commencer la journée
en déficit d'énergie ;

⋯⟩ regarder quelqu'un en le voyant vraiment : s'ouvrir à son sourire, se dire « tiens, le timbre de sa voix est agréable ! », s'étonner de la blancheur de ses mains, regarder la couleur de ses yeux... voir cette personne et pas seulement passer à côté d'elle !

⋯⟩ accueillir une image, une émotion, une sensation sans faire intervenir le mental ;

⋯⟩ essayer de découvrir avec des yeux neufs un lieu que l'on connait bien ;

⋯⟩ écouter une amie sans anticiper sur ce qu'elle va dire, sans a priori, en oubliant ce que l'on sait d'elle, comme si on l'écoutait pour la première fois !

⋯⟩ s'abstenir d'un conseil ;

⋯⟩ dissoudre un regret et voir le présent ;

⋯⟩ s'abstenir d'une critique, ne pas vouloir imposer son avis, mais rechercher ses propres points faibles et les corriger...

Voir surgir ce que l'on a semé

On fait ce qu'on doit faire et on laisse surgir ! Car si l'on a semé, de toute façon les fleurs grandiront. Se polariser ou trop s'inquiéter des résultats des actions que nous menons pour développer nos légendes personnelles peut nous conduire à des erreurs et nous détourner de notre voie profonde. Si l'on croit à ce que l'on fait, si l'on prend du plaisir à le faire en dépit des difficultés ou des incertitudes que l'on connaît dans tout projet, les « bijoux » apparaissent !

Laisser mitonner ses soucis

Nos aïeuls savent nous rappeler que les plats mijotés pendant plusieurs heures sont les meilleurs. Si vous réalisez la recette du bœuf bourguignon, vous commencez par verser tous les ingrédients nécessaires dans la casserole, vous laissez cuire lentement à feu très doux, en évitant d'ouvrir le couvercle trop souvent. Quelques heures plus tard, l'odeur savoureuse des carottes, des oignons, de l'ail et des herbes aromatiques parfume la maison, la pointe du couteau s'enfonce facilement dans la viande, moelleuse à point. Vous savez déjà que vous vous régalerez le lendemain !

En ce qui concerne le mental, la recette est identique… Si on laisse mijoter dans un coin de sa tête un problème, la situation se décante d'elle-même et la solution arrive à point nommé. Richard Carlson dans son livre *Ne vous noyez pas dans un verre d'eau* recommande cette méthode de « cuisson douce » aussi facile qu'efficace en cas de soucis (sérieux ou pas), car elle nous évite de réagir d'une façon trop immédiate qui nous prive souvent de la bonne solution. Sans vraiment nous en apercevoir, les choses mûrissent tranquillement et l'idée germe au bon moment. N'arrêtez pas pour autant la cuisson, car il ne s'agit pas de se dérober ou de remettre les choses à plus tard, mais de les laisser se décanter.

Cette méthode est parfaite quand on a un trou de mémoire, quand on essaie de trouver une solution à un problème ou quand on cherche une idée. Sans effort et parce qu'on s'est laissé du temps, l'idée émerge pour notre plus grande satisfaction !

**Ne pas remettre au lendemain
ce que l'on peut faire le jour même,
mais « ne jamais faire le jour même
ce que l'on peut si bien ne jamais faire » !**

Marcelle Auclair (1899-1983), femme de lettres et grande figure de la presse fémi-nine de l'après-guerre, a consacré toute sa vie à mettre son quotidien au diapason de sa philosophie du bonheur. Journaliste à *Marie-Claire* et auteur de plusieurs ouvrages, elle écrivit en particulier dans les années 1950 *Le Livre du bonheur*, ouvrage célèbre fondé sur la pensée positive proposant des conseils pratiques et de nombreux exemples pour y parvenir.

Elle s'est employée tout au long de sa vie à adapter cette maxime bien connue : *« Ne remets jamais au lendemain ce que tu peux faire le jour même ! »* en un pré-cepte qu'elle qualifie de *« trésor, véritable aspirateur des occupations superflues : Ne fais jamais le jour même ce que tu peux si bien ne jamais faire »*. Le nettoyage par le vide permettait selon elle de gagner des heures, en évitant ainsi les *« par-lottes pour ne rien dire »* avec des indifférents. Et à celles qui trouvaient facile de tenir ces propos quand on a une vie bien remplie, consacrée à l'écriture de livres ou d'articles, elle répondait que, même si elle n'avait pas pu exercer le métier qu'elle aime, elle aurait trouvé le moyen de donner un but à son existence, *« faisant de ce qui l'intéressait une passion constructive »*.

Suivre son désir

*« Ce qu'on désire ardemment,
constamment, on l'obtient toujours. »*
NAPOLÉON BONAPARTE (1769-1821)

Nombreux sont ceux qui se plaignent de ne pas obtenir ce qu'ils souhaitent. *« Mais la cause en est toujours qu'ils ne l'ont pas vraiment désiré »*, précise Alain. Ils n'ont pas fait ce qu'il fallait pour l'obtenir ou ils n'ont pas cru suffisamment à ce rêve. Car se donner les moyens d'atteindre ce but est fondamental pour l'obtenir. Ainsi, si l'on veut gagner de l'argent, il faudra prendre des risques, s'endetter peut-être, réinvestir ses gains dans l'entreprise au lieu de les dépenser et, c'est certain, se donner jour après jour les moyens de gagner de l'argent sur chaque chose.

De même que le bonheur est la somme de petits bonheurs, s'enrichir est le résultat de petits profits récoltés au fil des jours. Le plaisir de travailler se situe dans cette quête de gains, parfois bien plus que dans celui d'exercer une activité épanouissante.

Porter son regard au loin

Quand notre vue des choses se réduit à notre sphère immédiate et que nous avons l'impression d'avoir le nez dans le guidon, nous avons là le signal d'un mental qui se fatigue. La tentation immédiate pour combattre cette lassitude est de se plonger dans un livre, un jeu vidéo, un DVD, un magazine, la télévision ou encore l'ordinateur qui sont pour nous des distractions faciles où le regard ne prend pas de recul. Notre mental est juste détourné momentanément de nos tracas, sans pour autant être nettoyé de ces derniers.

Or, pour que notre pensée sorte de cette spirale, il est nécessaire de prendre de la hauteur en donnant à son regard du champ. Avez-vous remarqué comme l'œil se détend quand on regarde la mer, le ciel, les étoiles, une prairie immense ou le sommet des montagnes ? Aussi miraculeusement que si nous avions passé un baume sur les yeux, nos pensées tournoyantes s'évaporent et notre esprit s'apaise.

ET AUSSI...

- Différer un plaisir
- Dire avec légèreté une chose grave
- L'humour donne des ailes
- Prendre une bonne résolution
- Être là tout simplement : présent à soi, à ce que l'on fait
- Vivre avec ses fragilités, les accepter et ne pas vouloir les maîtriser
- Écouter son bon sens et le mettre en pratique
- Tirer un trait sur le passé
- S'étonner
- Souhaiter que la vie continue à être ainsi
- Prendre un risque chaque jour
- Éliminer les petits malheurs
- Être présent à ce que l'on vit :
  une conversation, un moment avec son entourage
- Tenir une promesse
- Renoncer à une situation qui nous déplaît
- Faire une petite folie
- Transformer un échec en atout
- Respecter les polarités de la vie :
  être pleinement dans son travail et pleinement dans la détente
- Ne pas censurer ses idées
- Rater quelque chose et en rire
- Oser dire ce que l'on garde pour soi
- Pour une fois, se mettre en colère
- Repousser sa colère car « chaque minute de colère fait perdre
  soixante secondes de bonheur » selon un proverbe tahitien...

Notez vos petits bonheurs sur cette page

Notez vos petits bonheurs sur cette page

Notez vos petits bonheurs sur cette page

CONCLUSION

Face au phénomène des médias qui nous font voir des choses « crues », violentes ou spectaculaires, le retour aux *petites choses de la vie* me semble vital pour notre bonheur. Notre sensibilité perd énormément de terrain chaque fois que les technologies en gagnent. C'est pourquoi il importe, dans un monde où le « toujours plus vite » et la technologie l'emportent, de faire des efforts d'attentions quotidiennes pour continuer à s'émerveiller des joyaux que la Vie nous offre. S'émouvoir d'un chant d'oiseau, se promener dans une forêt, marcher dans l'océan, sourire à son voisin, embrasser son enfant ou faire un compliment en étant complètement présent à ce moment-là est essentiel pour bien vivre. Chaque journée vaut la peine d'être vécue, surtout si l'on essaie de la vivre comme si c'était la première fois, en posant sur le monde un regard plein de fraîcheur.

Depuis le commencement de cet ouvrage, j'ai vécu chaque nouvelle journée comme une nouvelle source d'inspiration. L'écriture de ce livre fut pour moi une succession de petits bonheurs, d'efforts récompensés, de joies ressenties pour la première fois ou complètement nouvelles, d'ouverture sur le monde, de lectures et de rencontres passionnantes... J'ai eu de bons moments et de moins bons ; j'ai avancé dans ma vie personnelle, familiale et professionnelle, j'ai fait des choix importants, parfois difficiles... J'ai appris à mieux accepter que les petits malheurs côtoient les petits bonheurs dans la même journée, sur le même lieu. En vertu de cet état d'esprit, la conscience du « petit bonheur » quotidien ne m'a pas quittée un seul jour et m'a donné – j'en suis certaine au moment où je termine mon ouvrage – un regard différent sur ma vie, soutenu par une force nouvelle.

Je souhaite que ce cheminement qui fut le mien vous inspire à votre tour et vous aide à inventer vos petits bonheurs et à vouloir que chacune de vos journées soit ensoleillée.

REMERCIEMENTS

Tout d'abord, je tiens à remercier François Baumann, Nathalie Bruny, Florence Dath, Jean-François De Righetti, Denis Gaydier, Ilana Grimberg, Caroline Guillemin, Monique Harvey, Christelle Longequeue, Évelyne Morin, Dominique Prost, Catherine Sohier, David Tran et Françoise Vidil pour leur bienveillante contribution, aussi variée que précieuse. Nos échanges ainsi que leurs avis et leurs critiques émanant de la première lecture de mon manuscrit m'ont inspirée et aidée à le terminer.

Certains d'entre eux ont eu envie de mettre en pratique certains conseils ! Voici ce qu'ils m'ont amicalement confié :

« Depuis la lecture de ton manuscrit, je fais des respirations trois fois par jour, je m'étire le matin, je chante sous la douche et le soir je me détends. » Florence

« Ton livre m'a fait réfléchir et donné des impulsions nouvelles comme nettoyer ma table de salon et y mettre des fleurs, prendre une douche froide. Cette semaine, j'ai ressenti la pluie différemment au lieu de la voir comme une punition ! Je m'oc-cupe plus de moi le week-end, j'applique certains de tes conseils, ma fille aussi. » Caroline

« Il y a beaucoup de conseils que j'applique déjà dans ma vie de tous les jours. Il y en a d'autres que j'aurai, en tant que médecin, envie de proposer à mes patients et qui peuvent être une aide dans leur vie. » François

« Je me retrouve dans tes propositions de petits bonheurs. Cela m'a stimulée et donné envie de mettre en application ou de refaire certaines choses. » Nathalie

J'ai pu transmettre mon amour des petits bonheurs, grâce à Valérie de Sahb et je l'en remercie. Merci également à Ryma Bouzid pour son assistance à la réalisation de cet ouvrage.

BIBLIOGRAPHIE

Alain, *Propos sur le bonheur*, Gallimard, 1985

Alain, *Entretiens au bord de la mer,* Folio Essais, 1998

Christophe André, *Imparfaits, libres et heureux,*
  Odile Jacob, 2006

Sylvie Angel et Stéphane Clerger, *La Deuxième Chance en amour,*
  Odile Jacob, 2006

David Baird, *Mille chemins vers la sagesse,*
  mille chemins vers le bonheur, Albin Michel, 2001

Catherine Blanc, *La sexualité des femmes*
  n'est pas celle des magazines, La Martinière, 2004

Christian Boiron, *La Source du bonheur,* Albin Michel, 2000

Françoise de Bonneville, *Le Livre du bain,* Flammarion, 2004

Marie Borrel et Anne Dufour, *Bien-Être, 300 conseils,*
  Hachette pratique, 2004

Richard Carlson, *Ne vous noyez pas dans un verre d'eau,*
  J'ai lu, 2002

François Cheng, *Cinq méditations sur la beauté,* Albin Michel, 2006

Bernard Clavel, *Les Petits Bonheurs,* Pocket, 2000

Confucius, *Les Entretiens de Confucius,* Folio, 2005

Maurice Coyaud, *Fourmis sans ombre, le livre du haïku,* Phébus, 1991

Mihaly Csikszentmihalyi (psychologue hongrois),
  Vivre, la psychologie du bonheur

Robert Mihaly Csikszentmihalyi, *Mieux vivre en maîtrisant votre énergie psychique*, Pocket Évolution, 2006

Philippe Delerm, *La Première Gorgée de bière et autres plaisirs minuscules*, Gallimard, 1997

Didier Dumas, *Et si nous n'avions toujours rien compris à la sexualité ?* Albin Michel, 2004

Michel Faucheux, *Histoire du bonheur*, Le Félin, 2002

André Gide, *Les Nourritures terrestres*, suivi de *Les Nouvelles Nourritures*, Folio, 1989

Jean Giono, *La Chasse au bonheur*, Folio, 1991

Lilian Glass, *Ces gens qui vous empoisonnent l'existence*, Éditions de l'Homme, 2006

Dominique Glocheux, *La Vie en rose, mode d'emploi*, Albin Michel, 1997

Linda Grandolfi, *Égoïste toi-même*, Flammarion, 2006

Karen Kingston, *L'Harmonie de la maison par le Feng Shui*, J'ai lu, 2003

François Lelord, *Le Voyage d'Hector*, Odile Jacob, 2004

Stéphane Levine, *Qui meurt ?* Le Souffle d'or, 1997

Gilles Lipovetsky, *L'Ère du vide*, Folio Essais, 1989

Gilles Lipovetsky, *Le Bonheur paradoxal*, Gallimard, 2006

Denis Marquet, *Colère*, Le Livre de poche, 2003

Denis Marquet, *La Planète des fous*, Albin Michel, 2005

Philippe Muray, *Festivus, festivus*, Fayard, 2005

Ovide, *L'Art d'aimer*, J'ai lu, 2005

Marcel Proust, *Les Plaisirs et les jours*, Mille et une nuit, 1998

Yves Réquéna, *La Gymnastique des gens heureux,* Guy Trédaniel, 2003

Jacques Salomé, *Le Courage d'être soi,* Pocket, 2003

Paule Salomon, *La Brûlante Lumière de l'amour*, Albin Michel, 1997

Arthur Schopenhauer, *L'Art d'être heureux, à travers cinquante règles de vie,*
  Seuil, 2004

Arthur Schopenhauer, *Aphorismes sur la sagesse dans la vie*, PUF, 2004

David Servan-Schreiber, *Guérir le stress, l'anxiété et la dépression
  sans médicaments ni psychanalyse*, Pocket, 2005

Yves Simon, *Un instant de bonheur*, Le Livre de poche, 1998

Baird T. Spalding, *La Vie des maîtres*, J'ai lu, 2004

André Van Lysebeth, *Tantra, le culte de la féminité*, Flammarion, 1992

Richard Wilhem et Étienne Perrot, *Yi King,
  le Livre des transformations*, Médicis, 1994

SITES :

www.psychologies.com

www.defipourlaterre.org

Index

Achevé d'imprimer en février 2008
par Normandie Roto Impression s.a.s.
61250 Lonrai
N° d'impression : 080461

Imprimé en France